# studio d A1

## Deutsch als Fremdsprache

### Vokabeltaschenbuch

# Vokabeltaschenbuch



Die Vokabeln finden Sie hier in der Reihenfolge ihres ersten Auftretens in der linken Spalte aufgelistet. In der mittleren Spalte können Sie die Übersetzung in Ihrer Muttersprache eintragen. In der rechten Spalte stehen die neuen Vokabeln in einem geeigneten Satzzusammenhang.

Die chronologische Vokabelliste enthält den Wortschatz von Start bis Einheit 12, inklusive der Stationen 1–3. Wörter, die Sie nicht unbedingt zu lernen brauchen, sind *kursiv* gedruckt. Zahlen, grammatische Begriffe sowie Namen von Personen, Städten und Ländern sind in der Liste nicht enthalten.

**Symbole, Abkürzungen und Konventionen**

Ein • oder ein – unter dem Wort zeigt den Wortakzent:

ạ = kurzer Vokal

a̲ = langer Vokal

Nach den Nomen finden Sie immer den Artikel und die Pluralform.

- dient bei Nomen der Kennzeichnung der Pluralform, z. B.:

Abend, der, -e (Plural: die Abende)

Nomen, das, - (Plural: die Nomen)

" bedeutet: Umlaut im Plural

* bedeutet: Es gibt dieses Wort nur im Singular.

*,* bedeutet: Es gibt auch keinen Artikel.

*Pl.* bedeutet: Es gibt dieses Wort nur im Plural.

etw. etwas

jdn jemanden

jdm jemandem

*Akk.* Akkusativ

*Dat.* Dativ

Die unregelmäßigen Verben werden immer mit der Partizip-II-Form angegeben. Bei den Adjektiven sind nur die unregelmäßigen Steigerungsformen angegeben.

Die Zahlen in Klammern zeigen verschiedene Bedeutungen an, in denen ein Wort vorkommt.

## 1 Deutsch sehen und hören

| | | |
|---|---|---|
| ***Start,*** *der, -s* | ........................ | Start auf Deutsch |
| ***auf*** | ........................ | Start auf Deutsch |
| **Deutsch,** das, * | ........................ | Start auf Deutsch |
| **hier** | ........................ | Hier lernen Sie Deutsch. |
| **lernen** | ........................ | Hier lernen Sie Deutsch. |
| **Sie** | ........................ | Hier lernen Sie Deutsch. |
| **international** | ........................ | Das Wort „Computer" ist international. |
| **Wort,** das, "-er | ........................ | Das Wort „Computer" ist international. |
| **verstehen,** verstanden | ........................ | internationale Wörter auf Deutsch verstehen |
| **begrüßen** (jdn) | ........................ | Die Lehrerin begrüßt die Studenten. |
| **vorstellen** (sich) | ........................ | Stellen Sie sich vor! |

| | | | |
|---|---|---|---|
| | **und** | .................................... | sich und andere vorstellen |
| | **anderer, anderes, andere** | .................................... | sich und andere vorstellen |
| | **fragen nach** *(+ Dat.)* | .................................... | nach Namen und Herkunft fragen |
| | **Name,** der, -n | .................................... | nach Namen und Herkunft fragen |
| | ***Herkunft,*** *die, ** | .................................... | nach Namen und Herkunft fragen |
| | **Alphabet,** das, -e | .................................... | Das Alphabet: A, B, C ... |
| | **buchstabieren** | .................................... | Buchstabieren Sie das Wort. |
| | ***Wortakzent,*** *der, -e* | .................................... | Markieren Sie den Wortakzent. |
| 1 1 | **sehen,** gesehen | .................................... | Sehen Sie die Bilder. |
| | **hören** | .................................... | Hören Sie die CD. |
| | **Bild,** das, -er | .................................... | Sehen Sie das Bild? |
| | **was** | .................................... | Was gehört zusammen? |
| | ***zusammengehören*** | .................................... | Was gehört zusammen? |
| | **Musik,** die, -en | .................................... | |

**Tourist,** der, -en ..............................

**Büro,** das, -s ..............................

**Supermarkt,** der, "-e ..............................

**Telefon,** das, -e ..............................

**Kurs,** der, -e ..............................

**Kaffee,** der, -s ..............................

**Computer,** der, - ..............................

***Cafeteria,** die, -s (auch Cafeterien)* ..............................

***Oper,** die, -n* ..............................

***Espresso,** der, -s (auch Espressi)* ..............................

***Airbus,** der, -se* ..............................

**Euro,** der, -[s] ..............................

***Orchester,** das, -* ..............................

**Schule,** die, -n ..............................

| | | | |
|---|---|---|---|
| 1 2 | **wie** | ............ | Wie heißen die Wörter in Ihrer Sprache? |
| | **heißen,** geheißen | ............ | Wie heißen die Wörter in Ihrer Sprache? |
| | **der, das, die** | ............ | Wie heißen die Wörter in Ihrer Sprache? |
| | **in** | ............ | Wie heißen die Wörter in Ihrer Sprache? |
| | ***Ihr, Ihr, Ihre*** | ............ | Wie heißen die Wörter in Ihrer Sprache? |
| | **Sprache,** die, -n | ............ | Wie heißen die Wörter in Ihrer Sprache? |
| 1 3 | ***Ton,*** *der, "-e* | ............ | Bilder und Töne aus Deutschland |
| | **aus** | ............ | Wer kommt aus Deutschland? |
| | **wo** | ............ | Wo ist das? |
| | **ist** (sein) | ............ | Wo ist das? |
| | **kennen** | ............ | Was kennen Sie? |
| 1 4 | ***Sprecher,*** *der, -* | ............ | Sprecher 3 ist aus Deutschland. |
| | **kommen,** gekommen | ............ | Wer kommt aus Deutschland? |

## 2 Im Kurs

| | | | |
|---|---|---|---|
| | **im** | ........................................ | im Kurs |
| 2 1 | **Dialog,** der, -e | ........................................ | Hören Sie den Dialog. |
| | **Guten Tag!** | ........................................ | Guten Tag, ich heiße Andrick. |
| | **ich** | ........................................ | Guten Tag, ich heiße Andrick. |
| | **bin** (sein) | ........................................ | Ich bin aus Kasachstan. |
| | **Frau,** die, -en | ........................................ | Ich bin die Lehrerin, Frau Schiller. |
| | **Deutschlehrer/in,** der/die, -/-nen | ........................................ | Ich bin Ihre Deutschlehrerin. |
| | **Lehrer/in,** der/die, -/-nen | ........................................ | Ich bin Ihre Lehrerin. |
| | **Hallo!** | ........................................ | Hallo, mein Name ist Sandra! |
| | ***mein, mein, meine*** | ........................................ | Hallo, mein Name ist Sandra! |
| | **woher** | ........................................ | Herr Tang, woher kommen Sie? |
| | **wer** | ........................................ | Und wer ist das? |
| | **Herr,** der, -en | ........................................ | Herr Tang und Frau Sánchez sind im Deutschkurs. |
| | **er** | ........................................ | Er kommt aus China. |

| | | | |
|---|---|---|---|
| 2 2 | **Frage,** die, -n | ........................ | „Wo ist das?" ist eine Frage. |
| | **Antwort,** die, -en | ........................ | „Das ist in Paris." ist eine Antwort. |
| | **nachsprechen,** nachgesprochen | ........................ | Sprechen Sie die Sätze nach! |
| 2 4 a | ***Partnerinterview,*** *das, -s* | ........................ | Partnerinterview: Fragen und notieren Sie. |
| | **Partner/in,** der/die, -/nen | ........................ | Partnerinterview: Fragen und notieren Sie. |
| | **fragen** | ........................ | Partnerinterview: Fragen und notieren Sie. |
| | **notieren** | ........................ | Notieren Sie die Antworten. |
| 2 4 b | **berichten** | ........................ | Berichten Sie im Kurs. |
| 2 5 | **lesen,** gelesen | ........................ | Hören und lesen Sie. |
| | **wohnen** | ........................ | Ich wohne in Berlin. |
| | **jetzt** | ........................ | Wo wohnen Sie jetzt? |
| | **auch** | ........................ | + Ich wohne in Frankfurt. – Ich auch. |
| 2 6 | **zuordnen** | ........................ | Ordnen Sie eine Person zu. |
| 2 7 | ***Personalangabe,*** *die, -n* | ........................ | |

| | | | |
|---|---|---|---|
| | **ein, ein, eine** | ................................ | Ordnen Sie eine Person zu. |
| | **Person,** die, -en | ................................ | Lena und Cem sind Personen im Kurs. |
| | **Aufgabe,** die, -en | ................................ | Aufgabe 1 ist auf Seite 10. |
| | **ergänzen** | ................................ | Ergänzen Sie. |
| 2 9 | ***Redemittelkasten,*** *der, "* | ................................ | Ergänzen Sie den Redemittelkasten mit den Wörtern. |
| | ***Redemittel,*** *das, -* | ................................ | Lernen Sie die Redemittel. |
| | **mit** | ................................ | Ergänzen Sie den Redemittelkasten mit den Wörtern. |
| | ***Begrüßung,*** *die, -en* | ................................ | „Hallo" ist eine Begrüßung. |
| | **Vorstellung,** die, -en | ................................ | „Ich heiße ..." = Vorstellung |

## 3 Das Alphabet

| | | | |
|---|---|---|---|
| 3 1 | ***Rap,*** *der, -s* | ................................ | |
| | **mitmachen** | ................................ | Ich mache mit. Machen auch Sie mit? |
| 3 2 | **Gruppe,** die, -n | ................................ | Arbeiten Sie in Gruppen. |
| 3 3 | ***Städtediktat,*** *das, -e* | ................................ | |

| | | | |
|---|---|---|---|
| | **Stadt, die,** "-e | ........................ | Wo liegt (ist) die Stadt Hamburg? |
| | **Städtename,** der, -n | ........................ | „Köln“ ist ein Städtename. |
| 3 4 | **Abkürzung,** die, -en | ........................ | „VW“ ist eine Abkürzung. |
| | ***Transport,*** *der, -e* | ........................ | |
| | **Auto,** das, -s | ........................ | Ein BMW ist ein Auto. |
| | **TV,** das, -s | ........................ | TV = Fernsehen. |
| 3 6 | **Spiel,** das, -e | ........................ | Das ist ein Spiel im Kurs. |
| 3 7 | **Familienname,** der, -n | ........................ | + Dein Familienname? – Müller. |
| | **bei** | ........................ | Ich arbeite bei Siemens. |
| | ***welcher, welches, welche*** | ........................ | Welche Silbe ist betont? |
| | **Silbe,** die, -n | ........................ | Welche Silbe ist betont? |
| 3 8 | **betonen** | ........................ | Welche Silbe ist betont? |
| | **ordnen** | ........................ | Ordnen Sie die Namen. |
| | **Vorname,** der, -n | ........................ | Viele Männer heißen mit Vornamen Michael oder Klaus. |

| | | | |
|---|---|---|---|
| | **Junge,** der, -n | ..................... | Lukas ist ein Junge und Marie ist ein Mädchen. |
| | **Mädchen,** das, - | ..................... | Lukas ist ein Junge und Marie ist ein Mädchen. |
| 3 9 | **noch einmal** | ..................... | Hören Sie den Dialog noch einmal. |
| 3 11 | ***Favorit,*** *der, -en* | ..................... | Xavier ist mein Favorit! |

## 4 Internationale Wörter

| | | | |
|---|---|---|---|
| 4 1 | **schnell** | ..................... | Lesen Sie schnell! |
| | **Text,** der, -e | ..................... | Lesen Sie den Text schnell! |
| | **passen** (zu) | ..................... | Welche Bilder passen zu den Texten? |
| | **studieren** | ..................... | Claudia studiert Englisch und Deutsch. |
| | **Hobby,** das, -s | ..................... | Ihr Hobby ist Skifahren. |
| | **Universität,** die, -en | ..................... | Die Universität in Jena hat 18 000 Studenten. |
| | **Familie,** die, -n | ..................... | Seine Familie wohnt in Frankfurt. |
| | ***Spanisch,*** *das, ** | ..................... | Ich spreche Englisch, Spanisch und Deutsch. |
| | **Job,** der, -s | ..................... | Er mag seinen Job. |

| | | |
|---|---|---|
| **suchen** | ........................ | Suchen Sie die internationalen Wörter! |
| **Jahr,** das, -e | ........................ | Andrick ist 26 Jahre alt. |
| **alt,** älter, am ältesten | ........................ | Andrick ist 26 Jahre alt. |
| ***sein, sein, seine*** | ........................ | Sein Job ist gut. Er mag ihn. |
| **Minute,** die, -n | ........................ | In 30 Minuten ist er am Airport. |
| **am** | ........................ | In 30 Minuten ist er am Airport. |
| ***Pilot/in,*** *der/die, -en/-nen* | ........................ | Er ist Pilot bei der Lufthansa. |
| **mögen,** gemocht | ........................ | Er mag seinen Job. |
| ***fliegen,*** *geflogen* | ........................ | Er fliegt nach Frankfurt. |
| **heute** | ........................ | Heute fliegt er nach Madrid. |
| **von ... nach** | ........................ | Ich fliege von Frankfurt nach Madrid. |
| **nach** | ........................ | Ich fliege von Frankfurt nach Madrid. |
| **dann** | ........................ | Und dann nach Budapest. |
| **zurück** | ........................ | Ich fliege von Frankfurt nach Budapest und zurück. |

| | | |
|---|---|---|
| **sprechen,** gesprochen | ............................................ | Ich spreche Englisch, Spanisch und Deutsch. |
| ***Englisch,*** *das, ** | ............................................ | Ich spreche Englisch, Spanisch und Deutsch. |
| **Student/in,** der/die, -en/-nen | ............................................ | Er ist Student an der Humboldt-Universität. |
| **Kommunikation,** die, * | ............................................ | |
| ***interkulturell*** | ............................................ | Berlin ist eine interkulturelle Stadt. |
| **Semester,** das, - | ............................................ | Er ist im 8. Semester. |
| **Freund/in,** der/die, -e/-nen | ............................................ | Magda ist seine Freundin. |
| ***Polnisch,*** *das, ** | ............................................ | Er spricht Polnisch und Russisch. |
| ***Russisch,*** *das, ** | ............................................ | |
| **ein bisschen** | ............................................ | Er spricht ein bisschen Russisch. |
| **seit** | ............................................ | Sie studieren seit zwei Jahren. |
| **vorher** | ............................................ | Vorher war sie in Singapur. Dann in Deutschland. |
| ***war*** *(sein)* | ............................................ | Vorher war sie in Singapur. |
| **für** | ............................................ | Sie war für Siemens in Singapur. |

| | | |
|---|---|---|
| ***Elektronikingenieur/in,*** *der/die, -e/-nen* | ................................ | Sie ist Elektroingenieurin bei Siemens. |
| ***Spezialität,*** *die, -en* | ................................ | Ihre Spezialität: Medizintechnologie. |
| ***Medizintechnologie,*** *die, -n* | ................................ | Ihre Spezialität: Medizintechnologie. |
| **Französisch,** das, * | ................................ | Ich verstehe Französisch. |
| **Chinesisch,** das, * | ................................ | Sprechen Sie Chinesisch? |
| **Skifahren,** das, * | ................................ | Ihr Hobby ist Skifahren. |
| **leben** | ................................ | Wir leben und arbeiten in Frankfurt. |
| **Musiker/in,** der/die, -/-nen | ................................ | Sie ist Musikerin an der Oper in Wien. |
| ***spielen*** (1) | ................................ | Mein Freund kann Violine spielen. |
| ***Violine,*** *die, -n* | ................................ | Mein Freund kann Violine spielen. |
| **gehören** (zu) | ................................ | Sie gehört zum Ensemble der Wiener Staatsoper. |
| ***Ensemble,*** *das, -s* | ................................ | Sie gehört zum Ensemble der Wiener Staatsoper. |
| **finden** (etwas gut finden), gefunden (1) | ................................ | Sie findet Wien fantastisch! |

| | | | |
|---|---|---|---|
| | *fantastisch* | ..................................... | Sie findet Wien fantastisch! |
| | **Mensch,** der, -en | ..................................... | Die Menschen in Wien sind fantastisch. |
| | **Restaurant,** das, -s | ..................................... | Ich arbeite im Restaurant. |
| | *Atmosphäre, die, -n* | ..................................... | Ich mag die Atmosphäre im Sommer. |
| | *Sommer, der, -* | ..................................... | Ich mag die Atmosphäre im Sommer. |
| | **Café,** das, -s | ..................................... | Herr und Frau Schmidt sind im Café. |
| | **haben,** hatte | ..................................... | + Hast du heute ein Konzert?<br>– Ja, ich spiele Violine. |
| | *Konzert, das, -e* | ..................................... | + Hast du heute ein Konzert?<br>– Ja, ich spiele Violine. |
| 4 2 | *auswählen* | ..................................... | Wählen Sie ein Bild aus. |
| 4 3 | **sortieren** | ..................................... | Sortieren Sie die Wörter. |
| | *Technik, die, -en* | ..................................... | |
| | *Geografie, die, ** | ..................................... | |
| | **Tourismus,** der, * | ..................................... | |
| 4 4 | **Zeitung,** die, -en | ..................................... | Ich lese die Zeitung. |

| | | | |
|---|---|---|---|
| | ***Collage,*** *die, -n* | ........................ | Wir machen eine Collage im Kurs. |
| | **machen** | ........................ | Wir machen eine Collage im Kurs. |
| 4 5 | ***global*** | ........................ | Frankfurt am Main – ein globaler Marktplatz. |
| | ***Marktplatz,*** *der, "-e* | ........................ | Frankfurt am Main – ein globaler Marktplatz. |
| | **Einwohner/in,** der/die, -/-nen | ........................ | Die Stadt hat 1,6 Millionen Einwohner. |
| | ***Flair,*** *das,* * | ........................ | Frankfurt – eine Stadt mit internationalem Flair. |
| | ***Minimetropole,*** *die, -n* | ........................ | |
| | **Prozent,** das, -e | ........................ | 26 % (Prozent) der Einwohner kommen aus dem Ausland. |
| | **Ausland,** das, * | ........................ | Rita war ein Jahr im Ausland. |
| | ***Skyline,*** *die, -s* | ........................ | Die Skyline von Frankfurt ist fantastisch. |
| | ***Symbol,*** *das, -e* | ........................ | Sie ist ein Symbol für die Dynamik und Internationalität der Stadt. |
| | ***Dynamik,*** *die,* * | ........................ | Sie ist ein Symbol für die Dynamik und Internationalität der Stadt. |
| | ***Internationalität,*** *die,* * | ........................ | Sie ist ein Symbol für die Dynamik und Internationalität der Stadt. |

| | | |
|---|---|---|
| ***Bank,*** *die, -en* | ........................................ | Die europäische Zentralbank ist in Frankfurt. |
| ***Basis,*** *die, Pl.: Basen* | ........................................ | |
| **Heimat,** die, * | ........................................ | + Wo ist Ihre Heimat? – In Deutschland. |
| **Ufer,** das, - | ........................................ | |
| ***Skaterparadies,*** *das, -e* | ........................................ | |
| **dort** | ........................................ | Dort gibt es auch ein Museum. |
| **es** | ........................................ | Dort gibt es auch ein Museum. |
| **geben** (es gibt ...), gegeben | ........................................ | Dort gibt es auch ein Museum. |
| **Museum,** das, *Pl.:* Museen | ........................................ | Dort gibt es auch ein Museum. |

## 1 Café d

| | | |
|---|---|---|
| **kennen lernen** (jdn) | ........................ | jemanden im Café kennen lernen |
| **Gespräch,** das, -e | ........................ | Hören Sie das Gespräch. |
| **beginnen,** begonnen | ........................ | Der Kurs beginnt jetzt. |
| **Zahl,** die, -en | ........................ | Hier lernen Sie die Zahlen 1–1000. |
| **etwas** | ........................ | etwas im Café bestellen |
| **bestellen** | ........................ | etwas im Café bestellen |
| **bezahlen** | ........................ | im Café bestellen und bezahlen |
| **Telefonnummer,** die, -n | ........................ | + Wie ist Ihre Telefonnummer?<br>– 3312426. |

### 1 Treffen im Café

| | | |
|---|---|---|
| **Treffen,** das, - | ........................ | ein Treffen im Café |
| 1 1 a **sprechen** (über etw.), gesprochen | ........................ | Worüber sprechen die Leute? |

| | | | |
|---|---|---|---|
| | **Leute,** *Pl.* | ........................ | Die Leute im Kurs kommen aus Polen. |
| | **sammeln** | ........................ | Sammeln Sie Wörter. |
| 1 1 b | **mitlesen,** mitgelesen | ........................ | Hören Sie und lesen Sie mit. |
| 1 1 c | **Foto,** das, -s | ........................ | Ordnen Sie die Gespräche den Fotos zu. |
| 1 1 d | **üben** | ........................ | Üben Sie Fragen und Antworten! |
| | **Entschuldigung!** | ........................ | Entschuldigung, ist hier noch frei? |
| | **noch** | ........................ | Entschuldigung, ist hier noch frei? |
| | **frei** | ........................ | Entschuldigung, ist hier noch frei? |
| | **ja** | ........................ | Ja, klar! |
| | **klar** | ........................ | Ja, klar! |
| | **bitte** | ........................ | Ergänzen Sie bitte. |
| | **sein,** gewesen, war | ........................ | Sind Sie auch im Deutschkurs? |
| | **Deutschkurs,** der, -e | ........................ | Sind Sie auch im Deutschkurs? |
| | **trinken,** getrunken | ........................ | Was trinken Sie? |

| | | |
|---|---|---|
| **Orangensaft,** der, "-e | ........................................ | Zwei Orangensaft, bitte. |
| ***Orange,*** *die, -n* | ........................................ | Zwei Orangensaft, bitte. |
| **Grüß dich!** | ........................................ | + Grüß dich! – Hallo! |
| **Das ist/sind ...** | ........................................ | Das sind Belal und Alida ... |
| **Hi!** | ........................................ | Hi! Woher kommst du? |
| **du** | ........................................ | Und du? |
| **Tag!** (*Kurzform von* Guten Tag!) | ........................................ | Zur Begrüßung können Sie auch „Tag" sagen. |
| ***Eistee,*** *der, -s* | ........................................ | Wir möchten zwei Eistee, bitte. |
| **also** | ........................................ | Also, drei Eistee. |
| **oder** | ........................................ | Kaffee oder Tee? |
| **Tee,** der, -s | ........................................ | Tee, bitte! |
| **nehmen,** genommen | ........................................ | Wir nehmen zwei Orangensaft, bitte. |

| | | | |
|---|---|---|---|
| | **trainieren** | ........................................ | Wir trainieren Dialoge. |
| 2 1 | **Kasten,** der, " | ........................................ | Ergänzen Sie den Kasten. |
| | **Getränk,** das, -e | ........................................ | Eistee ist ein Getränk. Orangensaft auch. |
| 2 2 | **helfen,** geholfen | ........................................ | Der Kasten aus Aufgabe 1 hilft. |
| 2 6 | **Verbendung,** die, -en | ........................................ | |
| | **Tabelle,** die, -n | ........................................ | Ergänzen Sie die Tabelle. |
| 2 7 | **markieren** | ........................................ | Markieren Sie den Akzent. |
| | **Akzent,** der, -e | ........................................ | Markieren Sie den Akzent. |
| 2 8 | **arbeiten** | ........................................ | Frau Schiller arbeitet an der Sprachschule. |
| | **Sprachschule,** die, -n | ........................................ | In der Sprachschule lernen wir Deutsch. |
| 2 9 | **Antwort,** die, -en | ........................................ | Fragen und Antworten |
| | **stellen,** *hier:* Fragen stellen | ........................................ | Stellen Sie Fragen. |

## 3 Zahlen und zählen

| | | |
|---|---|---|
| **zählen** | ........................................ | Zählen Sie von eins bis zehn. |

| | | | |
|---|---|---|---|
| 3 4 | **bis** | ........................ | Zählen Sie von eins bis zehn. |
| | **kontrollieren** | ........................ | Kontrollieren Sie die Antworten mit der CD. |
| 3 5 | ***Zahlenlotto,*** *das, -s* | ........................ | Die Nummer vom Zahlenlotto ist 01162. |
| | **ankreuzen** | ........................ | Kreuzen Sie bitte sechs Zahlen an. |
| | **Lottozahlen,** *Pl.* | ........................ | Die Lottozahlen sind falsch. |
| | ***Richtige*** *(im Lotto), Pl.* | ........................ | Hast du sechs Richtige? |
| 3 6 | ***Bingo,*** *das, ** | ........................ | In England spielen die Leute viel Bingo. |
| | **durchstreichen,** durchgestrichen | ........................ | Streichen Sie die richtigen Zahlen durch. |
| | ***Gewinner/in,*** *der/die, -/-nen* | ........................ | Gewinner ist, wer zuerst fertig ist. |
| | **zuerst** | ........................ | Gewinner ist, wer zuerst fertig ist. |
| | **alle** | ........................ | Wer hat alle Zahlen? |
| | **spielen** (2) | ........................ | Spielen Sie im Kurs. |
| 3 7 a | **Gruppen bilden** | ........................ | Bilden Sie drei Gruppen. |
| | **laut** | ........................ | Lesen Sie die Zahlen laut. |

| | | | |
|---|---|---|---|
| | **Fehler,** der, - | .................................... | Macht Gruppe A einen Fehler, ist Gruppe B dran. |
| | **dran** (sein) | .................................... | + Wer ist dran? – Gruppe B. |
| | **fertig** (sein) | .................................... | Wer ist fertig? |
| 3 7 b | **sagen** | .................................... | Sagen Sie drei Zahlen. |
| | **mitschreiben,** mitgeschrieben | .................................... | Ich schreibe mit. |

## 4 Zahlen verwenden. Telefonnummern und Rechnungen

| | | | |
|---|---|---|---|
| | **verwenden** | .................................... | Verwenden Sie Zahlen. |
| | **Rechnung,** die, -en | .................................... | Hier ist die Rechnung: Macht zusammen 35,80. |
| 4 2 | **wichtig** | .................................... | Die Nummer ist wichtig! Schreiben Sie mit! |
| | **finden,** gefunden (2) | .................................... | Telefonnummern finden |
| | **Telefonbuch,** das, "-er | .................................... | Der Name ist im Telefonbuch. |
| | **Internet,** das, * | .................................... | Das steht im Internet. |
| | **Polizei,** die, * | .................................... | + Die Nummer der Polizei? – 110! |

| | | |
|---|---|---|
| **Arzt/Ärztin,** der/die, "-e/-nen | .................... | Sein Arzt heißt Dr. Wilke. |
| ***Taxizentrale,*** *die, -n* | .................... | |
| **Feuerwehr,** die, * | .................... | Die Feuerwehr hat die Nummer 112. |
| 4 3 **Preis,** der, -e | .................... | Notieren Sie die Preise. |
| **warm,** wärmer, am wärmsten | .................... | Der Kaffee ist warm. |
| **Tasse,** die, -n | .................... | Eine Tasse Kaffee nur 1,20 Euro. |
| ***Cappuccino,*** *der, -* | .................... | + Kaffee oder Cappuccino?<br>– Cappuccino, bitte. |
| **Schale,** die, -n | .................... | die Schale Milchkaffee |
| ***Milchkaffee,*** *der, -* | .................... | + Was möchtest du trinken?<br>– Milchkaffee, bitte. |
| ***Alkoholfreies*** | .................... | Wasser ist etwas Alkoholfreies. |
| **Mineralwasser,** das, - | .................... | + Zahlen, bitte! – Zwei Mineralwasser, das macht drei Euro. |
| ***Cola,*** *die od. das, -s (Kurzform von Coca-Cola)* | .................... | + Was trinken Sie? – Cola. |
| ***Fanta,*** *die, ** | .................... | Und ich trinke Fanta. |

| | | | |
|---|---|---|---|
| | **zahlen** | ............................ | Wir möchten zahlen, bitte! |
| | **zusammen** | ............................ | + Zusammen oder getrennt?<br>– Zusammen. |
| | **getrennt** | ............................ | + Zusammen oder getrennt?<br>– Zusammen. |
| | **Das macht ...** | ............................ | Das macht zusammen ... 5 Euro 80. |
| | **danke** | ............................ | + Hier, 6,50. – Danke. |
| | **Auf Wiedersehen!** | ............................ | |
| 4 5 | ***Dialoggrafik,*** *die, -en* | ............................ | Im Kurs arbeiten wir mit der Dialog-<br>grafik. |
| | **Wasser,** das, - | ............................ | + Möchtest du ein Wasser?<br>– Nein, ich möchte Kaffee. |
| 4 6 | ***gemeinsam*** | ............................ | |
| | ***offiziell*** | ............................ | In zwölf Ländern ist der Euro offizielles<br>Zahlungsmittel. |
| | ***Zahlungsmittel,*** *das, -* | ............................ | In zwölf Ländern ist der Euro offizielles<br>Zahlungsmittel. |
| | **Land,** das, "-er | ............................ | Österreich ist ein Land in Europa. |
| | **über** | ............................ | Über 200 Millionen Menschen bezahlen<br>mit dem Euro. |
| | **Million,** die, -en | ............................ | Berlin hat 3,4 Millionen Einwohner. |

| | | | |
|---|---|---|---|
| | **Schein,** der, -e (Euro-) | ........................ | Hast du einen 50-Euro-Schein? |
| | **gleich** | ........................ | Die Scheine sind in allen Ländern gleich. |
| | **Münze,** die, -n | ........................ | Die Münzen sind aber unterschiedlich. |
| | **unterschiedlich** | ........................ | Die Münzen sind aber unterschiedlich. |
| | **tragen,** getragen | ........................ | Sie tragen nationale Symbole. |
| | **national** | ........................ | Sie tragen nationale Symbole. |
| 4 7 | ***Quiz,*** *das, -* | ........................ | Ein Quiz. Raten Sie: Woher kommen Sie? |
| | **raten,** geraten | ........................ | Ein Quiz. Raten Sie: Woher kommen Sie? |

## Übungen

| | | | |
|---|---|---|---|
| Ü 2 | **verbinden,** verbunden | ........................ | Verbinden Sie die Dialogteile. |
| Ü 5 | **Temperatur,** die, -en | ........................ | + Die Temperatur in Kiel? – 18 Grad. |
| Ü 7 | ***Auskunft,*** *die* | ........................ | Die Telefonauskunft: Die Telefonnummer ist ... |
| | **Vorwahl,** die, -en | ........................ | Die Vorwahl von Deutschland ist 0049. |
| | ***Moment,*** *der, -e* | ........................ | Einen Moment, bitte. |

*Faxnummer, die, -n* ........................ Die Faxnummer ist die 732.

12 *Karaoke, das, -s* ........................ Übung 12 ist ein Textkaraoke.

## 2 Im Sprachkurs

**nachfragen** ........................ Fragen Sie im Kurs nach.

**Wörterbuch,** das, "- er ........................ Suchen Sie im Wörterbuch.

**Verneinung,** die, -en ........................ Verneinung: kein, keine

**kein, kein, keine** ........................ Das ist kein Büro, das ist eine Schule.

*Umlaut, der, -e* ........................ „Ä“, „ö“ und „ü“ sind Umlaute.

### 1 Im Kurs

**nicht** ........................ Ich verstehe das nicht.

**können,** gekonnt ........................ Können Sie das bitte wiederholen?

| |  | |  |
|---|---|---|---|
| | **wiederholen** | ........ | Können Sie das bitte wiederholen? |
| | **anschreiben,** angeschrieben | ........ | Können Sie das bitte anschreiben? |
| | **Ahnung,** die, -en | ........ | + Wie heißt das auf Deutsch? – Ich habe keine Ahnung! |
| | **Keine Ahnung!** | ........ | + Wie heißt das auf Deutsch? – Ich habe keine Ahnung! |
| | **Radiergummi,** der, -s | ........ | |
| 1 2 | **Heft,** das, -e | ........ | Ich mache eine Tabelle im Heft. |
| | **Kuli,** der, -s (*Kurzform von* Kugelschreiber) | ........ | Wo ist der Kuli? |
| | ***signalisieren*** | ........ | Nicht-Verstehen signalisieren und nachfragen |
| | **Wie bitte?** | ........ | Wie bitte? Ich verstehe das nicht. |
| 1 4 | **Gegenstand,** der, "-e | ........ | Gegenstände benennen. Was kennen Sie? |
| | ***benennen,*** *benannt* | ........ | Gegenstände benennen. Was kennen Sie? |
| | ***Kreide,*** *die, -n* | ........ | Schreiben Sie die Wörter an die Tafel. Wo ist die Kreide? |
| | **Tafel,** die, -n | ........ | Schreiben Sie die Wörter an die Tafel. Wo ist die Kreide? |
| | **Schwamm,** der, "-e | ........ | |

|  | |  |
| --- | --- | --- |
| **Papier,** das, *, (-e) | ........................ | Ich habe kein Papier! |
| **Tisch,** der, -e | ........................ | Im Kursraum sind Tische und Stühle. |
| **Stuhl,** der, "-e | ........................ | Im Kursraum sind Tische und Stühle. |
| **CD-Player,** der, - | ........................ | |
| **Lampe,** die, -n | ........................ | |
| **Tasche,** die, -n | ........................ | Die Tasche ist noch im Kursraum. |
| **Füller,** der, - | ........................ | Ich schreibe mit Füller. |
| ***Lernplakat,*** *das, -e* | ........................ | Machen Sie ein Lernplakat im Kurs. |
| **Bleistift,** der, -e | ........................ | Ich schreibe mit Bleistift. |
| **Videorekorder,** der, - | ........................ | Der Fernseher und der Videorekorder stehen im Kursraum. |
| **Fernseher,** der, - | ........................ | Der Fernseher und der Videorekorder stehen im Kursraum. |
| **Handy,** das, -s | ........................ | Das Handy hat die Nummer 01772526133. |
| **Overheadprojektor,** der, -en | ........................ | |
| 1 6 ***betont*** | ........................ | Markieren Sie die betonten Wörter. |

| | | | |
|---|---|---|---|
| 1 7 | **Kursraum,** der, "-e | ............ | Im Kursraum ist ein CD-Player. |

## 2 Nomen und bestimmter Artikel: *der, das, die*

| | | | |
|---|---|---|---|
| 2 1 | **schreiben,** geschrieben | ............ | Schreiben Sie die Wörter. |
| | **Tür,** die, -en | ............ | Das Haus hat drei Türen. |
| | **Haus,** das, "-er | ............ | Das Haus hat drei Türen. |
| 2 2 | ***Wörterliste,*** *die, -n* | ............ | Mit der Wörterliste arbeiten. |
| | **Liste,** die, -n | ............ | Mit der Wörterliste arbeiten. |
| | **Seite,** die, -n | ............ | Die Übung ist auf Seite 32. |
| 2 3 | **Geschichte,** die, -n | ............ | Wörter und Bilder verbinden, „Artikelgeschichten“ ausdenken: ein Film im Kopf. |
| | ***ausdenken*** *(sich etw.)* | ............ | |
| | **Film,** der, -e | ............ | Wörter und Bilder verbinden, „Artikelgeschichten“ ausdenken: ein Film im Kopf. |
| | **Kopf,** der, "-e | ............ | |
| | **Farbe,** die, -n | ............ | Arbeiten Sie mit Farben! |
| | ***Löwe,*** *der, -n* | ............ | |

| | | | |
|---|---|---|---|
| | **immer** | ........................ | Nomen immer mit Artikel lernen. |

## 3 Nomen: Singular und Plural

| | | | |
|---|---|---|---|
| 3 1 | **Form,** die, -en | ........................ | Wie heißen die Formen im Singular und Plural? |
| | **Buch,** das, "-er | ........................ | Ich lese das Buch. |
| 3 3 | ***Variante,*** *die, -n* | ........................ | Welche Variante ist richtig? |
| | **richtig** | ........................ | Welche Variante ist richtig? |
| 3 6 | **Stopp!** | ........................ | Sagen Sie „Stopp"! |

## 4 Der unbestimmte Artikel: *ein, eine* / Verneinung: *kein, keine*

| | | | |
|---|---|---|---|
| 4 1 | **ansehen,** angesehen | ........................ | Sehen Sie die Bilder an. |
| 4 2 | **zeichnen** | ........................ | Zeichnen Sie ein Bild. |
| | **Mann,** der, "-er | ........................ | + Ist das ein Mann? – Nein, eine Frau. |
| 4 3 | **Baum,** der, "-e | ........................ | |
| | **Fenster,** das, - | ........................ | Das Haus hat eine Tür und fünf Fenster. |

| | | | |
|---|---|---|---|
| 4 4 a | **Eis,** das, * | ........................ | Ich mag kein Eis. |
| | **Hund,** der, -e | ........................ | Bitte keine Hunde. |
| | **Fahrrad,** das, "-er | ........................ | Keine Fahrräder, bitte. |
| | **müssen** | ........................ | Hunde müssen draußen bleiben. |
| | **draußen** bleiben, geblieben | ........................ | Hunde müssen draußen bleiben. |
| 4 4 b | ***Tennisball,*** *der, "-e* | ........................ | |
| | **nein** | ........................ | Nein, ich komme nicht aus Bern. |
| | **Fußball,** der, "-e | ........................ | Das ist ein Fußball, kein Tennisball. |
| | **Koffer,** der, - | ........................ | Das ist kein Koffer, das ist eine Tasche. |
| 4 5 a | ***systematisch*** | ........................ | Artikel systematisch lernen |
| 4 5 b | **Kursteilnehmer/in,** der/die, -/-nen | ........................ | Die Kursteilnehmer fragen, die Lehrerin antwortet. |
| | **Theater,** das, - | ........................ | + Ist das ein Theater?<br>– Nein, das ist ein Museum. |

## 5 Schulen, Kurse, Biografien

| | | | |
|---|---|---|---|
| | ***Biografie**, die, -n* | .................................... | Das ist eine Biografie über Willy Brandt. |
| 5 1 | **Sekretärin,** die, -nen | .................................... | Die Sekretärin in der Sprechstunde heißt Frau Witzke. |
| | **Kịnd,** das, -er | .................................... | Herr Behm hat zwei Kinder. |
| | **interessạnt** | .................................... | Das Museum ist interessant. |
| | **gut,** bẹsser, am bẹsten | .................................... | Der Kurs ist gut. |
| | **Ạrbeit,** die, -en | .................................... | Die Arbeit ist interessant. |
| | **Vọlkshochschule,** die, -n | .................................... | Er lernt Deutsch an der Volkshochschule. |
| | **verheiratet** (mit) | .................................... | Er ist mit Bärbel verheiratet. |
| | **Momẹnt** (im) | .................................... | Im Moment lernt sie Deutsch. |
| | ***Kultur**, die, -en* | .................................... | Deutschland ist für uns Sprache, Kultur und Heimat. |
| | ***Biologie**, die, ** | .................................... | Sie studiert Biologie und Chemie. |
| | ***Chemie**, die, ** | .................................... | Sie studiert Biologie und Chemie. |
| | **Spọrt,** der, (-arten) | .................................... | Ihre Hobbys sind Musik und Sport. |
| | ***Gitạrre**, die, -n* | .................................... | Spielen Sie auch Gitarre? |

| | | | |
|---|---|---|---|
| | **lieben** | ............ | Sie liebt Beethoven und Schubert. |

## 6 Kommunikation im Deutschkurs

| | | | |
|---|---|---|---|
| | **Kommunikation,** die, * | ............ | |
| 6 1 | **antworten** | ............ | Hören Sie und antworten Sie. |
| 6 2 | **Bitte,** die, -n | ............ | Wir haben eine Bitte: heute keine Hausaufgaben. |
| | ***Arbeitsanweisung,*** *die, -en* | ............ | Lesen Sie die Arbeitsanweisung. |
| | **beide** | ............ | Wer sagt was? Was sagen beide? |
| | **Kursleiter/in,** der/die, -/-nen | ............ | Herr Hosch ist Kursleiter. |
| | **erklären** | ............ | Das verstehe ich nicht. Bitte erklären Sie. |
| | **langsam** | ............ | Sprechen Sie bitte langsam(er). |
| | **Pause,** die, -n | ............ | Können wir eine Pause machen? |
| | **Hausaufgabe,** die, -n | ............ | Wir machen heute Hausaufgaben. |

## Übungen

| | | | |
|---|---|---|---|
| Ü3 | **Reihenfolge,** die, -n | ........................ | Verbinden Sie die Sätze in der richtigen Reihenfolge. |
| Ü8 | **Radio,** das, -s | ........................ | Ich höre gern Radio. |
| Ü9 | **Paar,** das, -e | ........................ | Lernen Sie Wörter in Paaren. |

## 3 Städte – Länder – Sprachen

| | | |
|---|---|---|
| ***Sehenswürdigkeit,*** *die, -en* | ........................ | Der Eiffelturm in Paris ist eine Sehenswürdigkeit. |
| ***geografisch*** | ........................ | die geografische Lage angeben |
| **Lage,** die, -n | ........................ | die geografische Lage angeben |
| ***angeben,*** *angegeben* | ........................ | die geografische Lage angeben |
| ***Satzfrage,*** *die, -n* | ........................ | Es gibt Satzfragen und W-Fragen. |
| ***W-Frage,*** *die, -n* | ........................ | „Was ist das?“ ist eine W-Frage. |

## 1 Grüße aus Europa

| | | | |
|---|---|---|---|
| | **Gruß,** der, "-e | ............ | Grüße aus Europa |
| | **Europa** | ............ | Grüße aus Europa |
| 1 1 | **Karte,** die, -n | ............ | Arbeiten Sie mit der Europakarte. |
| | **Turm,** der, "-e | ............ | Der Eiffelturm ist in Paris. |
| 1 2 | **worüber** | ............ | Worüber sprechen Sie? |
| 1 3 | **aha** | ............ | Aha, und wo ist das? |
| 1 4 | **Postkarte,** die, -n | ............ | Das ist eine Postkarte aus Singapur. |
| | **so** | ............ | So kann man fragen. |
| | **man** | ............ | So kann man fragen. |
| | **denn** | ............ | Wo ist denn das? |
| 1 5 | **zeigen** | ............ | Wir zeigen Fotos im Kurs. |
| | **achten auf** *(+ Akk.)* | ............ | Achten Sie auf die Satzakzente. |
| | **meisten,** *Pl.* | ............ | Die meisten Ländernamen haben auf Deutsch keinen Artikel. |

| | | | |
|---|---|---|---|
| | *Ländername, der, -n* | ........................ | Die meisten Ländernamen haben keinen Artikel. |

## 2 Menschen, Städte, Sprachen

| | | | |
|---|---|---|---|
| 2 1 | **Wie geht's?** | ........................ | + Hallo, wie geht's? – Danke, gut. |
| | ***gern*** | ........................ | Ich trinke gern Kaffee. |
| | ***Sag doch „du".*** | ........................ | + Wie heißen Sie? – Sag doch „du". |
| | **Okay!** | ........................ | Okay, ich heiße Anne. |
| | **schon** | ........................ | + Warst du schon mal in Paris? – Ja. |
| | **mal** | ........................ | + Warst du schon mal in Paris? – Ja. |
| | **Ach!** | ........................ | Ach, das ist in Frankreich? |
| | **genau** | ........................ | Ja, genau! |
| | **Italienisch,** das, * | ........................ | Ich spreche kein Italienisch. |
| 2 3 | ***Melodie,*** *die, -n* | ........................ | Hören Sie die Melodie. |
| | **Unterschied,** der, -e | ........................ | Hören Sie den Unterschied? |
| 2 4 b | **gestern** | ........................ | Wo warst du gestern? |

| | | |
|---|---|---|
| 2 5 **Orientierung,** die, -en | ........................ | Orientierung auf der Landkarte |
| **Landkarte,** die, -n | ........................ | Arbeiten Sie mit der Landkarte. |
| **liegen** (1) | ........................ | + Wo liegt Graz?<br>– Im Südosten von Österreich. |
| **Norden,** der, * | ........................ | Hamburg liegt im Norden, München im Süden von Deutschland. |
| **Süden,** der, * | ........................ | Hamburg liegt im Norden, München im Süden von Deutschland. |
| **Osten,** der, * | ........................ | Dresden liegt im Osten, Köln im Westen von Deutschland. |
| **Westen,** der, * | ........................ | Dresden liegt im Osten, Köln im Westen von Deutschland. |
| **südlich von** | ........................ | Göttingen liegt südlich von Hannover. |
| **nördlich von** | ........................ | Deutschland liegt nördlich von Österreich. |
| 2 6 ***Städteraten,*** *das,* * | ........................ | |

## 3 *Warst du schon in …?* Fragen und Antworten

| | | |
|---|---|---|
| 3 2 a **vergleichen,** verglichen | ........................ | Vergleichen Sie die Sätze! |
| 3 2 b ***Position,*** *die, -en* | ........................ | Das Verb steht auf Position 2. |
| **Regel,** die, -n | ........................ | Ergänzen Sie die Regeln. |

**stehen,** gestanden ............ Das Verb steht auf Position 2.

3 3 *Personenraten, das, ** ............ Personenraten im Kurs: Wer ist das?

**nur** ............ Antworten Sie nur mit „ja“ oder „nein“.

3 4 **Information,** die, -en ............ Ordnen Sie die Informationen im Kasten.

**Hauptstadt,** die, "-e ............ Dresden ist die Hauptstadt von Sachsen.

***bayrisch*** ............ Passau ist eine bayrische Stadt.

## 4 Über Länder und Sprachen sprechen

4 1 **Nachbar,** der, -n ............ Sie sind also mein Nachbar. Guten Tag!

4 2 **beschreiben,** beschrieben ............ Beschreiben Sie die Grafik.

***Grafik,*** *die, -en* ............ Beschreiben Sie die Grafik.

**Mutter- ≠ Fremdsprache,** die, -n ............ Spanisch ist meine Muttersprache, Deutsch ist eine Fremdsprache.

***Niederländisch,*** *das, ** ............

***Schwedisch,*** *das, ** ............

| | | | |
|---|---|---|---|
| | ***Portugiesisch,*** *das,* * | ............ | Meine Freundin spricht Portugiesisch. |
| | ***Griechisch,*** *das,* * | ............ | |
| | ***Dänisch,*** *das,* * | ............ | Ich spreche kein Dänisch. |
| | ***Finnisch,*** *das,* * | ............ | |
| 4 3 | **wechseln** | ............ | Wo wechselt der Akzent? |
| | ***Tschechisch,*** *das,* * | ............ | Ich möchte Tschechisch lernen. |
| | ***Slowakisch,*** *das,* * | ............ | |
| 4 5 | ***Konversation,*** *die, -en* | ............ | Konversation im Zug |
| | **etwas** (= ein bisschen) | ............ | Ich spreche etwas Türkisch. |
| 4 6 | **Mehrsprachigkeit,** die, * | ............ | Mehrsprachigkeit in Europa. Was verstehen Sie? |
| 4 7 | **Region,** die, -en | ............ | Die Steiermark ist eine Region in Österreich. |
| | **Ich-Text,** der, -e | ............ | Ich-Texte schreiben |

## 5 Deutsch im Kontakt

| | | |
|---|---|---|
| ***Kontakt,*** *der, -e* | ............ | Deutsch im Kontakt |

| | | |
|---|---|---|
| **5 1** **passieren** | ........................ | + Was passiert hier? – Nichts. |
| **Ort,** der, -e | ........................ | Pirna ist ein Ort in Sachsen. |
| ***bilingual*** | ........................ | Im bilingualen Kurs sprechen die Schüler zwei Sprachen. |
| ***Euregio-Projekt,*** *das, -e* | ........................ | Im Euregio-Projekt kooperieren zwei Länder. |
| **Projekt,** das, -e | ........................ | Das ist ein deutsch-französisches Projekt. |
| ***kooperieren*** | ........................ | In dieser Region kooperieren Universitäten. |
| **Gymnasium,** das, *Pl.:* Gymnasien | ........................ | Die Schüler im Gymnasium lernen Englisch und Französisch. |
| **Schüler/in,** der/die, -/-nen | ........................ | Die Schüler im Gymnasium lernen Englisch und Französisch. |
| ***Nachbarregion,*** *die, -en* | ........................ | |
| **zwischen** | ........................ | Frankreich liegt zwischen Spanien und Deutschland. |
| **viele** | ........................ | Hier gibt es viele ökonomische, akademische und kulturelle Kooperationen. |
| ***ökonomisch*** | ........................ | Hier gibt es viele ökonomische, akademische und kulturelle Kooperationen. |
| ***akademisch*** | ........................ | |

| | | |
|---|---|---|
| ***kulturell*** | ................................ | Hier gibt es viele ökonomische, akademische und kulturelle Kooperationen. |
| ***Kooperation,*** *die, -en* | ................................ | |
| **jeder, jedes, jede** | ................................ | Ich fahre jeden Tag nach Lothringen. |
| **Tag,** der, -e | ................................ | Ich fahre jeden Tag nach Lothringen. |
| **fahren,** gefahren | ................................ | Ich fahre jeden Tag nach Lothringen. |
| **mehr** (als) | ................................ | Ich kenne mehr als 200 Wörter. |
| **über** | ................................ | Sie fahren über die Grenze zur Arbeit. |
| **Grenze,** die, -n | ................................ | Sie fahren über die Grenze zur Arbeit. |
| **zur** | ................................ | Sie fahren über die Grenze zur Arbeit. |
| ***Telekommunikation,*** *die, -en* | ................................ | Sie kooperieren in der Telekommunikation, im Tourismus und im Verkehr. |
| **Tourismus,** der, * | ................................ | Sie kooperieren in der Telekommunikation, im Tourismus und im Verkehr. |
| **Verkehr,** der, * | ................................ | |
| 5 3 **nennen,** genannt | ................................ | Nennen Sie weitere Beispiele. |
| **Beispiel,** das, -e | ................................ | Nennen Sie weitere Beispiele. |

| | | | |
|---|---|---|---|
| Ü 7 | **Bar,** die, -s | ............................................ | Wir trinken Wein in einer Bar. |
| Ü 8 | **sehr** | ............................................ | Das ist sehr schön. |
| | ***Wein,*** *der, -e* | ............................................ | Wir trinken Wein in einer Bar. |
| Ü 11 | ***Nachbarland,*** *das, "-er* | ............................................ | Deutschland hat neun Nachbarländer. |
| | ***Flämisch,*** *das, ** | ............................................ | In Belgien spricht man Flämisch. |
| | ***Letzeburgisch,*** *das, ** | ............................................ | Letzeburgisch spricht man in Luxemburg. |
| Ü 12 | ***Realschule,*** *die, -n* | ............................................ | Meine Kinder gehen jetzt zur Realschule. |

# 4 Menschen und Häuser

## 1 Wohnen in Deutschland, Österreich und der Schweiz

| | | |
|---|---|---|
| **Wohnung,** die, -en | ............................................ | Die Wohnung ist groß. |
| **Sache,** die, -n | ............................................ | über Personen und Sachen sprechen |

| | | |
|---|---|---|
| **zu** | ........................ | Graduierung mit *zu:* Die Wohnung ist zu groß. |
| **besonders** | ........................ | etwas besonders betonen |
| 1 1 **Hochhaus,** das, "-er | ........................ | Das Hochhaus ist in Köln. |
| ***Bauernhaus,*** *das, "-er* | ........................ | Das Bauernhaus ist alt. |
| **Einfamilienhaus,** das, "-er | ........................ | Sie haben ein Einfamilienhaus. |
| **Zimmer,** das, - | ........................ | Die Wohnung hat drei Zimmer. |
| **Studentenwohnheim,** das, -e | ........................ | Sie hat ein Zimmer im Studentenwohnheim. |
| ***Altbauwohnung,*** *die, -en* | ........................ | Die Altbauwohnung ist sehr hell. |
| **Stock,** der, * *(Kurzform für* Stockwerk) | ........................ | Das ist im ersten Stock. |
| **hell** | ........................ | Die Wohnung ist hell. |
| **groß,** größer, am größten | ........................ | Das Haus ist groß. |
| **kosten** | ........................ | Die Wohnung kostet 800 Euro. |
| **teuer,** teurer, am teuersten | ........................ | + Wie teuer ist die Wohnung? – 800 Euro. |
| **Garten,** der, "- | ........................ | Unser Haus hat einen Garten. |

| | | | |
|---|---|---|---|
| | **unser, unser, unsere** | ........................................ | Unser Haus hat einen Garten. |
| | **m²** (= Quadratmeter) | ........................................ | Die Wohnung hat 64 Quadratmeter. |
| | **klein** | ........................................ | Der Balkon ist sehr klein. |
| | *(auf dem)* ***Land,*** *das, ** | ........................................ | Wir wohnen auf dem Land, nicht in der Stadt. |
| | **ziemlich** | ........................................ | Da ist es ziemlich ruhig. |
| | **ruhig** | ........................................ | Da ist es ziemlich ruhig. |
| 1 2 | **aber** | ........................................ | 600 Euro Miete? Schön, aber teuer. |

## 2 Wohnungen

| | | | |
|---|---|---|---|
| 2 1 | **Wohnzimmer,** das, - | ........................................ | Unser Wohnzimmer ist ziemlich klein. |
| | **essen,** gegessen | ........................................ | Kinder essen gern Eis. |
| | **schlafen,** geschlafen | ........................................ | Hier schlafen die Kinder. |
| | **baden** | ........................................ | Ich bade jeden Samstag. |
| | **kochen** | ........................................ | Ich koche jeden Abend. |
| | **Küche,** die, -n | ........................................ | Ich koche viel und bin gern in der Küche. |

| | | | |
|---|---|---|---|
| 2 2 a | ***Zeichnung**, die, -en* | ........................ | Welche Zeichnung passt? |
| | **passen** | ........................ | Welche Zeichnung passt? |
| | **links** | ........................ | Links ist die Küche und rechts das Wohnzimmer. |
| | **rechts** | ........................ | Links ist die Küche und rechts das Wohnzimmer. |
| 2 2 b | **Raum,** der, "-e | ........................ | Ergänzen Sie die Namen der Räume oben. |
| | **oben** | ........................ | Ergänzen Sie die Namen der Räume oben. |
| | **Bad,** das, "-er *(Kurzform für* Badezimmer, das, -*)* | ........................ | Unser Bad ist nicht sehr groß. |
| | **Balkon,** der, -e | ........................ | Der Balkon ist klein. |
| | **was für ein ...** | ........................ | Was für ein Chaos! |
| | ***Chaos,** das,* * | ........................ | Was für ein Chaos! |
| | **wirklich schön** | ........................ | schön ≠ hässlich; Die Wohnung ist wirklich schön! |
| | **dunkel** | ........................ | hell ≠ dunkel; Das Arbeitszimmer ist sehr dunkel. |
| | **qm** (= Quadratmeter) | ........................ | Die Küche hat 11 qm. |
| | **Flur,** der, -e | ........................ | Der Flur ist lang – 6 Meter. |

| | | | |
|---|---|---|---|
| | **lang,** länger, am längsten | ........................ | Der Flur ist lang – 6 Meter. |
| | **Bücherregal,** das, -e | ........................ | Die Bücher sind im Bücherregal. |
| | **Regal,** das, -e | ........................ | Wir haben viele Bücher. Wir brauchen noch ein Regal. |
| | **viel** | ........................ | Unsere Wohnung ist groß. Wir haben viel Platz. |
| | **Platz,** der, "-e (2) | ........................ | Unsere Wohnung ist groß. Wir haben viel Platz. |
| | **billig** | ........................ | billig ≠ teuer; Unsere Wohnung kostet nur 400 Euro. Das ist billig. |
| 2 3 | **möchten,** gemocht | ........................ | Ich möchte auf dem Land leben. |

## 3 Possessivartikel im Nominativ

| | | | |
|---|---|---|---|
| 3 1 | **Vase,** die, -n | ........................ | Das ist meine Vase. |
| 3 3 | **CD,** die, -s | ........................ | Ist das deine CD? |

## 4 Zimmer beschreiben – Adjektive

| | | | |
|---|---|---|---|
| 4 2 | **Gegenteil,** das, -e | ........................ | Das Gegenteil von „groß“ ist „klein“. |
| | **neu** | ........................ | neu ≠ alt; Das Regal ist neu. |

| |  | |  |
|---|---|---|---|
| | **leise** | ........................ | leise ≠ laut; Die Musik ist zu leise. |
| | **hässlich** | ........................ | hässlich ≠ schön; Das Zimmer ist ziemlich hässlich. |
| | **kurz,** kürzer, am kürzesten | ........................ | Das Gegenteil von „lang“ ist „kurz“. |
| 4 3 a | **Toilette,** die, -n | ........................ | Die Toilette ist zu klein. |
| 4 3 b | **bestimmte** | ........................ | Sprechen Sie über eine bestimmte Wohnung. |
| 4 4 a | ***Traumwohnung,*** *die, -en* | ........................ | Meine Traumwohnung hat fünf Zimmer. |
| | ***Arbeitszimmer,*** *das, -* | ........................ | Meine Wohnung hat kein Arbeitszimmer. |
| | ***kommentieren*** | ........................ | Wohnungen beschreiben und kommentieren |
| | **modern** | ........................ | Die Wohnung ist sehr modern. |
| | **Kinderzimmer,** das, - | ........................ | Das Kinderzimmer hat 14 qm. |
| | **Traum,** der, "-e | ........................ | Die Wohnung ist ein Traum. So groß und hell! |
| | **daneben** | ........................ | Dort steht mein Computer, daneben das Radio. |
| | ***chaotisch*** | ........................ | Unser Umzug war sehr chaotisch. |
| 4 4 b | **weitergeben,** weitergegeben | ........................ | Geben Sie das Bild weiter. |

| | | | |
|---|---|---|---|
| | **weiter** | | Geben Sie das Bild weiter. |

## 5 Wörter bauen

| | | | |
|---|---|---|---|
| | **bauen** | | Wörter bauen |
| 5 1 a | **Küchentisch,** der, -e | | Der Küchentisch ist alt. |
| | **Schreibtischlampe,** die, -n | | Meine Schreibtischlampe ist sehr hell. |
| 5 1 b | **Möbel,** das, - | | Wo stehen die Möbel? |
| | **zu Hause** | | Lernen Sie zu Hause! |
| | **Schreibtisch,** der, -e | | Der Schreibtisch steht im Arbeitszimmer. |
| | ***Esstisch,*** *der, -e* | | Der Esstisch steht in der Küche. |
| | **Küchenschrank,** der, "-e | | Der Küchenschrank steht in der Küche. |
| | **Schrank,** der, "-e | | Der Schrank steht im Schlafzimmer. |
| 5 1 c | ***Grundwort,*** *das, "-er* | | Das Bücherregal: Regal ist das Grundwort. |
| 5 2 | ***Bürostuhl,*** *der, "-e* | | Der Bürostuhl ist im Arbeitszimmer. |

| | | | |
|---|---|---|---|
| | ***Betonung**, die, -en* | ........................................ | Die Betonung von Wörtern immer mitlernen! |
| 5 3 | **mehrere,** *Pl.* | ........................................ | Es gibt mehrere Möglichkeiten. |
| | **Möglichkeit,** die, -en | ........................................ | Es gibt mehrere Möglichkeiten. |
| | **Kommode,** die, -n | ........................................ | |
| | ***Stehlampe**, die, -n* | ........................................ | Die Stehlampe steht im Wohnzimmer. |
| | **Sessel,** der, - | ........................................ | Der Sessel steht im Wohnzimmer. |
| | **Sofa,** das, -s | ........................................ | Das Sofa steht im Wohnzimmer. |
| | **Schlafzimmer,** das, - | ........................................ | Im Schlafzimmer steht das Bett. |

## 6 Wortschatz systematisch lernen

| | | | |
|---|---|---|---|
| 6 1 | **ausprobieren** | ........................................ | Probieren Sie verschiedene Techniken aus. |
| | **verschieden** | ........................................ | Die Kursteilnehmer sind sehr verschieden. |
| | **Badewanne,** die, -n | ........................................ | Die Badewanne ist neu. |
| | **Waschbecken,** das, - | ........................................ | Das Waschbecken im Bad ist zu klein. |
| | **Spiegel,** der, - | ........................................ | |

| | | |
|---|---|---|
| **Zettel,** der, - | ........................ | Schreiben Sie die Wörter auf Zettel. |
| **Kühlschrank,** der, "-e | ........................ | Der Eistee ist im Kühlschrank. |
| **Herd,** der, -e | ........................ | Der Herd ist in der Küche. |
| ***Wörternetz,*** *das, -e* | ........................ | Bilden Sie ein Wörternetz zum Thema „Möbel". |
| **Satz,** der, "-e | ........................ | |
| ***Wortkarte,*** *die, -n* | ........................ | Machen Sie jetzt Ihre eigenen Wortkarten. |
| ***Lernkartei,*** *die, -en* | ........................ | Mit einer Lernkartei lernen Sie die Wörter besser. |

## 7 Der Umzug

| | | |
|---|---|---|
| **Umzug,** der, "-e | ........................ | Unser Umzug ist ein Chaos. |
| 7 1 ***Umzugschaos,*** *das, ** | ........................ | |
| **E-Mail,** die, -s | ........................ | Schreiben Sie eine E-Mail. |
| **Umzugskarton,** der, -s | ........................ | Wir haben 20 Umzugskartons. Sie sind schwer. |
| **packen** | ........................ | Er packt seine Bücher. |

| | | |
|---|---|---|
| **Video,** das, -s | ........................ | Heute ist bei uns Video-Abend. |
| **funktionieren** | ........................ | Funktioniert der Videorekorder? |
| **Problem,** das, -e | ........................ | Wir haben viele Probleme. |
| **Postleitzahl,** die, -en | ........................ | Meine Postleitzahl ist 14197. |
| **zentral** | ........................ | Die Wohnung ist sehr zentral. |
| **breit** | ........................ | Der Flur ist sehr breit und lang. |
| **Glück,** das, * | ........................ | Die Wohnung ist billig. Wir hatten Glück. |
| **pro** | ........................ | Ich trinke fünf Tassen Kaffee pro Tag. |
| **Waschmaschine,** die, -n | ........................ | Die Waschmaschine ist schwer. Dein armer Rücken! |
| ***Arme,*** *der/die, -n* | ........................ | Der Arme! Er hat Rückenschmerzen. |
| **doch** | ........................ | Der Herd war doch zu schwer. |
| **Rücken,** der, - | ........................ | Mein Rücken macht Probleme. |
| **schwer** | ........................ | Die Aufgabe ist sehr schwer. |
| **brauchen** | ........................ | Wir brauchen deine Hilfe. |

**Hilfe,** die, -n ............ Brauchst du meine Hilfe?

**Viele Grüße ...** ............

**bis morgen** ............ Tschüss dann, bis morgen!

**Rückenschmerzen,** *Pl.* ............ Die Umzugskartons waren schwer. Jetzt habe ich Rückenschmerzen.

**bekommen,** bekommen ............ Ich bekomme eine E-Mail.

**morgen** ............ Treffen wir uns morgen im Café?

## 8 Wohnformen

8 1 ***Wohnform,*** *die, -en* ............ Wohnformen. Sehen Sie die Fotos an.

***Lärmen,*** *das, ** ............ Lärmen im Treppenhaus ist verboten.

***Einstellen,*** *das, ** ............

**Treppenhaus,** das, "-er ............ Lärmen im Treppenhaus ist verboten.

**verboten** (sein) ............ Rauchen im Kurs ist verboten.

***Eigentümer,*** *der, -* ............ Das ist mein Haus. Ich bin der Eigentümer.

**Spielplatz,** der, "-e ........................ Der Spielplatz ist nur für Kinder.

**Bett,** das, -en ........................ Das Bett ist im Schlafzimmer.

### Übungen

Ü 9 **Fuß,** der, "-e ........................ Fußball spielt man mit den Füßen.

Ü 12 **Japaner/in,** der/die, -/-nen ........................ Takeschi ist Japaner.

## Station 1

***Station,*** *die, -en* ........................

### 1 Berufsbilder

1 1 a ***Beruf,*** *der, -e* ........................ Mein Beruf? Ich bin Deutschlehrerin.

***Material,*** *das, Pl.: Materialien* ........................ Material im Kurs: Lehrbuch, Heft, Wörterbuch ...

***Lehrbuch,*** *das, "-er* ........................ Das Lehrbuch heißt *studio d*.

| | | | |
|---|---|---|---|
| | ***Tätigkeit,*** *die, -en* | .................................... | Tätigkeiten im Kurs: Deutsch sprechen, Texte lesen, Wörter lernen ... |
| 1 1 b | ***Sprachinstitut,*** *das, -e* | .................................... | Sie lernt Deutsch in einem Sprachinstitut. |
| | ***Stunde,*** *die, -n* | .................................... | Sie hat jeden Tag vier Stunden Unterricht. |
| | ***Unterricht,*** *der, ** | .................................... | Die Lehrerin hat jeden Tag Unterricht. |
| | ***abends*** | .................................... | Abends mache ich meine Hausaufgaben. |
| | ***fest*** | .................................... | Ihr Job an der Universität ist nicht fest. |
| | ***Spaß,*** *der, "-e* | .................................... | Der Unterricht macht Spaß. |
| | **fremd** | .................................... | Sie mag fremde Kulturen. |
| | ***oft*** | .................................... | Die Studenten machen oft Projekte. |
| | ***Bahnhof,*** *der, "-e* | .................................... | Im Bahnhof steht jetzt kein Zug. |
| | ***Kaufhaus,*** *das, "-er* | .................................... | |
| | ***Theater,*** *das, -* | .................................... | + Was kommt im Theater? – Shakespeare. |
| 1 3 | ***Woche,*** *die, -n* | .................................... | Die Woche hat sieben Tage. |
| | ***Bibliothek,*** *die, -en* | .................................... | Sie liest Bücher in der Bibliothek. |

| | | |
|---|---|---|
| ***Seminar,*** *das, -e* | .................................... | Im Seminar sind auch Studenten aus Polen. |
| ***am Anfang*** | .................................... | Am Anfang war alles fremd. |
| ***alles*** | .................................... | Am Anfang war alles fremd. |

## 2 Themen und Texte

| | | |
|---|---|---|
| ***Thema,*** *das, Pl.: Themen* | .................................... | Unser Thema heute: Berufsbilder. |
| 2 1 ***regional*** | .................................... | Es gibt regionale Unterschiede. |
| ***Hand*** *(jdm die Hand geben), die, "-e* | .................................... | In Deutschland gibt man zur Begrüßung oft die Hand. |
| ***Tradition,*** *die, -en* | .................................... | |
| ***küssen*** | .................................... | In Frankreich küsst man Bekannte. |
| ***Bekannte,*** *der/die, Pl.: Bekannten* | .................................... | In Frankreich küsst man Bekannte. |
| ***formal*** | .................................... | „Sie“ ist offiziell, formal und neutral. |
| ***neutral*** | .................................... | „Sie“ ist offiziell, formal und neutral |
| ***Firma,*** *die, Pl.: Firmen* | .................................... | Er arbeitet bei einer Autofirma. |

| | | | |
|---|---|---|---|
| | ***populär*** | .................................... | |
| | ***Verabschiedung,*** *die, -en* | .................................... | Eine Verabschiedung: Auf Wiedersehen. |
| 2 2 | ***Liebe ...*** *(Anrede im Brief)* | .................................... | |
| 2 4 | ***Buchstabe,*** *der, -n* | .................................... | „A", „b" und „c" sind Buchstaben. |
| | ***Autoschild,*** *das, -er* | .................................... | Die Schweiz hat das Autoschild CH. |
| | ***Lösung,*** *die, -en* | .................................... | die Lösung = die Antwort ist richtig |
| 2 5 b | ***Ergebnis,*** *das, -se* | .................................... | das Ergebnis: Hamburg gegen Rostock: 1 : 2 |

## 3 Selbstevaluation: Wortschatz – Grammatik – Phonetik

| | | | |
|---|---|---|---|
| 3 1 | ***Begriff,*** *der, -e* | .................................... | |
| | ***gar kein*** | .................................... | + Fährst du Auto? – Nein, ich habe gar kein Auto. |
| 3 2 a | ***Samstag,*** *der, -e* | .................................... | Hast du am Samstag Zeit? |
| | ***umziehen,*** *umgezogen* | .................................... | Wir haben eine Wohnung in Stuttgart. Wir ziehen um. |
| 3 2 b | ***ausgehen,*** *ausgegangen* | .................................... | Am Samstag geht sie aus. |
| | ***wissen,*** *gewusst* | .................................... | Weißt du schon? Wir haben jetzt ein Auto! |

| | | | |
|---|---|---|---|
| | ***Freitag,*** *der, -e* | ........................ | Hast du am Freitag Zeit? |
| | ***kaputt*** | ........................ | Der CD-Spieler ist kaputt. Wir können keine Musik hören. |
| 3 2 c | ***unterstreichen,*** *unterstrichen* | ........................ | Unterstreichen Sie die Nomen. |
| | ***Teil,*** *der, -e* | ........................ | Der Teil ist unterstrichen. Frag danach. |
| 3 3 | ***Quiz,*** *das, -* | ........................ | |
| | ***Ding,*** *das, -e* | ........................ | Dinge im Kurs: Hefte, Bücher, Stühle ... |
| | ***Möbelstück,*** *das, -e* | ........................ | Tische und Stühle sind Möbelstücke. |
| 3 4 | ***normal*** | ........................ | Die Betonung ist normal oder markiert. |
| 3 5 | ***Radioprogramm,*** *das, -e* | ........................ | Das Radioprogramm von heute: Musik aus China. |
| | ***Küchenduell,*** *das, -e* | ........................ | |
| | ***Märchen,*** *das, -* | ........................ | |
| | ***Hörspiel,*** *das, -e* | ........................ | |
| | ***Dokumentation,*** *die, -en* | ........................ | |
| | ***Talkshow,*** *die, -s* | ........................ | |

| | | | |
|---|---|---|---|
| 4 1 | ***Millionenstadt,*** *die, "-e* | ........................ | Hamburg ist eine Millionenstadt. |
| | ***weltbekannt*** | ........................ | Der Eiffelturm ist weltbekannt. |
| | ***Ferien,*** *Pl.* | ........................ | Wir machen Ferien in den Alpen. |
| | ***Wintersport,*** *der, -* | ........................ | |
| | ***Hafen,*** *der, "-* | ........................ | Der Hafen in Hamburg ist groß. |
| | ***Industrie,*** *die, -n* | ........................ | |
| | ***Export,*** *der, -e* | ........................ | |
| | ***Import,*** *der, -e* | ........................ | |
| 4 2 | ***Notiz,*** *die, -en* | ........................ | Machen Sie Notizen. |
| | ***Alter,*** *das, -* | ........................ | Ihr Alter? Ich weiß nicht, 36? |
| | ***Soziologie,*** *die, ** | ........................ | Peter studiert Soziologie und Auslandsgermanistik. |
| | ***Auslandsgermanistik,*** *die, ** | ........................ | Peter studiert Soziologie und Auslandsgermanistik. |
| 4 3 | ***ca. (circa)*** | ........................ | Sie ist ca. 36 Jahre alt. |

***Rathaus,*** *das, "-er* ........................ Das Rathaus in Jena ist sehr alt.

***gründen*** ........................ Er hat 1644 die Universität gegründet.

4 5 ***Nachmittag,*** *der, -e* ........................ Am Nachmittag lernt er Deutsch.

***Sportstudio,*** *das, -s* ........................ Ich war am Nachmittag im Sportstudio.

# 5 Termine

**Termin,** der, -e ........................ Ich habe einen Termin um 14 Uhr.

***Zeitangabe,*** *die, -n* ........................ Ordnen Sie bitte die Zeitangaben zu.

**Zeit,** die, -en + Die Zeit? – Neun Uhr.

**Uhrzeit,** die, -en ........................ Zeitangaben machen: Uhrzeiten und Wochentage

**Wochentag,** der, -e ........................ Zeitangaben machen: Uhrzeiten und Wochentage

**verabreden** (sich) ........................ Termine machen und sich verabreden

**entschuldigen** ........................ Entschuldigen Sie, ich bin zu spät.

| | | |
|---|---|---|
| **Verspätung,** die, -en | ............................................ | Der Airbus hat Verspätung. |
| *trennbar* | ............................................ | Das Verb „umziehen" ist trennbar. |
| **anrufen,** angerufen | ............................................ | Ich rufe Klaus heute an. |
| **aufstehen,** aufgestanden | ............................................ | Karl steht um sechs Uhr auf. |

## 1 Uhrzeiten

| | | | |
|---|---|---|---|
| 1 1 | **wann** | ............................................ | Wann kommst du zurück? |
| | **Leid tun** (etw. jdm) | ............................................ | Tut mir Leid, ich komme etwas später. |
| | **Stau,** der, -s | ............................................ | Tut mir Leid, ich stehe im Stau und komme später. |
| | **es** | ............................................ | Es ist schon fünf Uhr. |
| | **später** | ............................................ | Tut mir Leid, ich stehe im Stau und komme später. |
| | **Montag,** der, -e | ............................................ | Montag und Dienstag sind Wochentage. |
| | **Dienstag,** der, -e | ............................................ | Montag und Dienstag sind Wochentage. |
| | **Mittwoch,** der, -e | ............................................ | Der Deutschkurs ist am Mittwoch und am Donnerstag. |

| | | |
|---|---|---|
| **Donnerstag,** der, -e | ........................ | Der Deutschkurs ist am Mittwoch und am Donnerstag. |
| **Freitag,** der, -e | ........................ | |
| **Samstag,** der, -e | ........................ | Am Samstag haben wir keinen Unterricht. |
| **Sonntag,** der, -e | ........................ | Am Sonntag auch nicht. |
| 1 2 *Umgangssprache, die, -n* | ........................ | Uhrzeiten: offiziell und in der Umgangssprache |
| **Frühstück,** das, * | ........................ | Frühstück ist um sieben Uhr. |
| **Mittagessen,** das, - | ........................ | + Wann gibt es Mittagessen? – Um halb eins. |
| **Abendessen,** das, - | ........................ | Abendessen ist um acht Uhr. |
| **morgens** | ........................ | Ja, das Café ist morgens geöffnet. |
| **halb** | ........................ | + Entschuldigung, wie viel Uhr ist es?<br>– Halb drei. |
| **Viertel vor** | ........................ | + Wie spät ist es? – Es ist Viertel vor fünf. |
| **Viertel nach** | ........................ | + Wie viel Uhr ist es? – Viertel nach vier. |
| **kurz vor** | ........................ | Es ist kurz vor zwölf. |
| **kurz nach** | ........................ | Es ist kurz nach sechs. |

| | | | |
|---|---|---|---|
| | **Null,** die, -en | ..................................... | Null Uhr = Mitternacht |
| | **Mitternacht,** die, * | ..................................... | Null Uhr = Mitternacht |
| | **nachts** | ..................................... | Nachts schlafe ich. |
| 1 4 | **spät** | ..................................... | + Wie spät ist es jetzt? – Viertel nach zehn. |
| 1 5 | **Wie viel ...?** | ..................................... | + Wie viel Uhr ist es? – Es ist kurz vor sechs. |
| | **Uhr,** die, -en | ..................................... | Hast du eine Uhr? |
| | **Wie spät ist es?** | ..................................... | |

## 2 Tagesablauf und Termine

| | | | |
|---|---|---|---|
| | **Tagesablauf,** der , "-e | ..................................... | + Wie ist dein Tagesablauf?<br>– Ich stehe um acht Uhr auf, dann ... |
| 2 1 | **zu zweit** | ..................................... | Arbeiten Sie zu zweit. |
| | **frühstücken** | ..................................... | Samstags frühstückt Ellen im Café. |
| | **ausgehen,** ausgegangen | ..................................... | Ich gehe am Samstag aus. |
| | **gehen** (1), gegangen | ..................................... | Sie geht um elf Uhr schlafen. |
| | **Mittagspause,** die, -n | ..................................... | Die Mittagspause ist von 12 bis ein Uhr. |

| |  | |  |
|---|---|---|---|
| | **abends** | ........................ | Abends lerne ich. |
| | **um** | ........................ | Der Kurs beginnt um zehn Uhr. |
| 2 3 | ***Sprachschatten,*** *der, -* | ........................ | Sprachschatten: Ihr Partner erzählt – Spielen Sie Echo. |
| | **Schatten,** der, - | ........................ | |
| | **erzählen** | ........................ | Ihr Partner erzählt. |
| | ***Echo,*** *das, -s* | ........................ | Sprachschatten: Ihr Partner erzählt – Spielen Sie Echo. |
| | **ach so** | ........................ | + Ich gehe heute aus. – Ach so, du gehst aus. |
| 2 4 | **Ende,** das, -n | ........................ | Wörter mit „k“ und „g“ am Ende |
| 2 5 | **vorbereiten** | ........................ | Wir bereiten den Dialog zu zweit vor. |
| | **Anrufbeantworter,** der, - | ........................ | Auf dem Anrufbeantworter sind drei Anrufe. |
| | **von** (jdm) | ........................ | Hören Sie den Anrufbeantworter von Dr. Glas. |
| | **zweimal** | ........................ | Hören Sie den Dialog zweimal. |
| | **Sprechzeit,** die, -en | ........................ | Am Mittwoch hat Frau Dr. Blum keine Sprechzeit. |
| | ***Allgemeinmedizin,*** die, * | ........................ | Frau Dr. Blum ist Ärztin für Allgemeinmedizin. |

| |  | |  |
|---|---|---|---|
| | **Sprechstunde,** die, -n | ........................................ | Am Dienstag hat Dr. Alt Sprechstunde von neun bis 13 Uhr. |
| 2 6 | **Ausländeramt,** das, "-er | ........................................ | |
| | **Ausländer,** der, - | ........................................ | Ausländer brauchen eine Aufenthaltsgenehmigung. |
| | **Amt,** das, "-er | ........................................ | |
| | **Einwohnermeldeamt,** das, "-er | ........................................ | Eine Wohnung meldet man beim Einwohnermeldeamt. |
| | **Aufenthaltsgenehmigung,** die, -en | ........................................ | |
| | **Visum,** das, *Pl.:* Visa | ........................................ | Sie brauchen ein Visum und drei Passfotos. |
| | **Passfoto,** das, -s | ........................................ | Sie brauchen ein Visum und drei Passfotos. |
| | **melden** | ........................................ | Die Wohnung muss man beim Einwohnermeldeamt melden. |
| | **Mietvertrag,** der, "-e | ........................................ | Haben Sie schon einen Mietvertrag für die Wohnung? |
| | **kompliziert** | ........................................ | Die Aufgabe ist nicht kompliziert. |
| | ***speziell*** | ........................................ | Es gibt spezielle Regeln für Ausländer. |

## 3 Termine machen





| | | |
|---|---|---|
| 3 1 b **Praxis,** die, *Pl.:* Praxen | .................................... | Hier ist die Praxis Dr. Meyer. |
| **hätte gern** | .................................... | Ich hätte gern einen Termin. |
| **Krankenkasse,** die, -n | .................................... | Die AOK ist eine Krankenkasse. |
| *AOK (Allgemeine Ortskrankenkasse)* | .................................... | Die AOK ist eine Krankenkasse. |
| **nächster, nächstes, nächste** | .................................... | Nächste Woche kann ich nicht. Geht es auch morgen? |
| **Woche,** die, -n | .................................... | Nächste Woche kann ich nicht. Geht es auch morgen? |
| **da** | .................................... | Am Montag? Nein, da kann ich nicht. |
| **Auf Wiederhören!** | .................................... | Am Telefon: Auf Wiederhören. |
| 3 2 a **Beruf,** der, -e | .................................... | Mein Beruf ist Lehrer. |
| **telefonieren** (mit jdm) | .................................... | Ich telefoniere gern mit Klaus. |
| 3 2 b **Autobahn,** die, -en | .................................... | Herr Strunz ist auf der Autobahn bei Leipzig. |
| **Stunde,** die, -n | .................................... | Sie kommt in zwei Stunden – so gegen elf Uhr. |

| |  | |  |
|---|---|---|---|
| | *so gegen* | .................................... | Sie kommt in zwei Stunden – so gegen elf Uhr. |
| | **Anruf,** der, -e | .................................... | Ich erwarte einen Anruf. |
| | **Gute Fahrt!** | .................................... | + Ich muss nach Frankfurt. – Gute Fahrt! |

## 4 Verabredungen

| |  | |  |
|---|---|---|---|
| | **Verabredung,** die, -en | .................................... | Morgen habe ich eine Verabredung mit Julia ... |
| 4 1 | **gehen** (2): Das geht (nicht). | .................................... | Gehen wir ins Kino? – Nein, das geht heute nicht. |
| | **schwimmen,** geschwommen | .................................... | Gehen wir heute schwimmen? |
| | **treffen,** getroffen (sich) | .................................... | + Treffen wir uns am Mittwoch?<br>– Ja, das geht. |
| | **Abend,** der, -e | .................................... | + Gehen wir heute Abend ins Kino?<br>– Das geht nicht. |
| | **Kino,** das, -s | .................................... | + Gehen wir heute Abend ins Kino?<br>– Das geht nicht. |
| | *Zirkus, der, -se* | .................................... | Am Sonntag gehen wir in den Zirkus. |
| 4 2 | **tschüss** | .................................... | Zur Verabschiedung sagt man „Tschüss!“ |
| | **Bis dann!** | .................................... | Zur Verabschiedung sagt man auch „Bis dann“. |
| 4 3 | **Park,** der, -s | .................................... | In der Mittagspause geht Rolf in den Park. |

| | | |
|---|---|---|
| ***Zoo,** der, -s* | ............ | |
| **Disko,** die, -s | ............ | Jenny geht am Samstag in die Disko. |

## 5 Sich verabreden – ein Rollenspiel vorbereiten

| | | |
|---|---|---|
| ***Rollenspiel,** das, -e* | ............ | Arbeiten Sie zu zweit und bereiten Sie ein Rollenspiel vor. |
| 5 1 b **Zahnarzt/ärztin,** der/die, "-e/-nen | ............ | Ich gehe nicht gern zum Zahnarzt. |
| ***nach Vereinbarung*** | ............ | Termine bei Dr. Müller gibt es nur nach Vereinbarung. |
| **Morgen,** der, - | ............ | Es ist früh am Morgen. Ich brauche einen Kaffee. |
| ***Kinobesuch,** der, -e* | ............ | + Wie war der Kinobesuch?<br>– Der Film war gut. |
| **Besuch,** der, -e | ............ | Tante Hilde kommt zu Besuch. |
| **Mittag,** der, -e | ............ | Mittag = zwölf Uhr. |
| **bitten,** gebeten (um etw.) | ............ | um einen Termin bitten |
| **frei haben** | ............ | Haben Sie am Mittwoch einen Termin frei? |
| **vorschlagen,** vorgeschlagen | ............ | Einen Termin vorschlagen: Geht es am Freitag? |

*ạblehnen* ........................ Einen Termin ablehnen: Tut mir Leid, das geht nicht.

*zustimmen* ........................ Zustimmen: Ja, das passt gut.

5 **3** *Ausrede, die, -n* ........................ Eine Ausrede: Tut mir Leid, mein Auto war kaputt.

**wạrten** ........................ Wir warten seit zehn Uhr.

**Stạdtplan,** der, "-e ........................ Ich habe einen Stadtplan von Köln.

**Zug,** der, "-e ........................ Der Zug hatte zehn Minuten Verspätung.

**Wẹcker,** der, - ........................ Entschuldigung, aber mein Wecker ist kaputt.

**kapụtt** ........................ Entschuldigung, aber mein Wecker ist kaputt.

**vergẹssen,** vergẹssen ........................ Tut mir Leid, ich habe den Termin vergessen.

## 6 Zeit systematisch, trennbare Verben, Verneinung

6 **2** *lyrisch* ........................

*Konjugation, die, -en* ........................ Die Konjugation von „sein“: ich bin, du bist, ...

**Pạnne,** die, -n ........................ Wir hatten eine Panne. Das Auto ist jetzt kaputt.

**einfach** ........................ Sie hatte einfach kein Glück.

| | | | |
|---|---|---|---|
| 6 3 | **einkaufen** | ………… | + Was kaufst du ein?<br>– Cola, Kaffee und Tee. |
| | **anfangen,** angefangen | ………… | + Wann fängt die Schule wieder an?<br>– Am Montag. |
| | **mitkommen,** mitgekommen | ………… | + Kommst du mit ins Kino?<br>– Nein, das passt mir nicht. |
| 6 4 | **absagen** | ………… | Der Lehrer sagt den Kurs heute ab. |

## 7 Zeitpläne und Pünktlichkeit

| | | | |
|---|---|---|---|
| | ***Zeitplan,*** *der, "-e* | ………… | Machen Sie einen Zeitplan: Wann lernen Sie Deutsch? |
| | ***Pünktlichkeit,*** *die, ** | ………… | |
| | **Plan,** der, "-e | ………… | Machen Sie einen Plan für jeden Tag. |
| | ***Übungszeit,*** *die, -en* | ………… | Übungszeit heute von zwölf bis zwei |
| | **oft** | ………… | Ich mache oft Fotos. |
| | **besser als** | ………… | Kurz üben und oft üben ist besser als viel lernen an einem Tag. |
| 7 2 a | **pünktlich** ≠ unpünktlich | ………… | Er ist nie pünktlich, er ist immer zu spät. |
| | **beantworten** | ………… | Beantworten Sie bitte die Fragen. |
| | **Party,** die, -s | ………… | Am Samstag gehe ich zu einer Party. |

| | | | |
|---|---|---|---|
| 7 2b | **denken,** gedacht | ............ | Ich liebe dich. Ich muss immer an dich denken. |
| | **Deutsche,** der/die, -n | ............ | Sind die Deutschen so pünktlich? |
| | **glauben** | ............ | Ich glaube, Hans und Ute passen nicht zusammen. |
| | **Bahn,** die, -en | ............ | die Bahn = Zug |
| | **Fahrplan,** der, "-e | ............ | + Wann kommt der Zug?<br>– Es steht im Fahrplan. |
| | **meistens** | ............ | Meistens kommt er pünktlich. |
| | **manchmal** | ............ | Der Zug hat manchmal Verspätung. |
| | **fast** | ............ | Die Lehrerin ist fast immer pünktlich. |
| | **erst** | ............ | Der Kurs beginnt heute erst um zehn. |
| | **genauso** | ............ | Das ist genauso wichtig. |
| | **Europäer/in,** der/die, -/-nen | ............ | Franzosen, Deutsche, Polen sind Europäer. |

## Übungen

| | | | |
|---|---|---|---|
| Ü4 | **Suppe,** die, -n | ............ | Wir essen heute Suppe. |

| | | | |
|---|---|---|---|
| Ü10 | **Fest,** das, -e | ........................ | An meinem Geburtstag mache ich ein Fest. |
| | ***August,*** *der,* * | ........................ | Der August war sehr heiß. |
| | ***Yoga,*** *das,* * | ........................ | |
| | **Klasse,** die, -n | ........................ | Die Klasse ist groß: 22 Studenten. |
| Ü14 | ***joggen*** | ........................ | Sie joggt jeden Tag drei Kilometer. |

## 6 Orientierung

| | | |
|---|---|---|
| **Weg,** der, -e | ........................ | nach dem Weg fragen |
| **Verkehrsmittel,** das, - | ........................ | Verkehrsmittel: Zug, Fahrrad ... |
| **unter** | ........................ | Deine Brille liegt unter der Zeitung. |
| **neben** | ........................ | Die Tasche liegt neben dem Regal. |
| **vor** | ........................ | Die Lehrerin steht vor der Tafel. |
| **hinter** | ........................ | Der Stuhl steht hinter dem Tisch. |

*Ordnungszahl, die, -en* ............ Ordnungszahlen: erster, zweiter, ...

## 1 Arbeiten in Leipzig

| | | | |
|---|---|---|---|
| 1 1 | ***Verlagskaufmann/-frau,*** *der/die, "-er/-en* | ............ | Frau Fiedel arbeitet als Verlagskauffrau. |
| | ***Verlagshaus,*** *das, "-er* | ............ | |
| | ***Verlag,*** *der, -e* | ............ | Cornelsen ist ein Verlag für Schulbücher. |
| | **Viertelstunde,** die, -n | ............ | Sie fährt eine Viertelstunde mit dem Zug. |
| | **Straßenbahn,** die, -en | ............ | Die Straßenbahn fährt bis 23 Uhr. |
| | ***Aldi*** | ............ | + Wo kaufst du ein? – Oft bei Aldi. |
| | **Hauptbahnhof,** der, "-e | ............ | Ich fahre mit dem Zug bis Frankfurt Hauptbahnhof. |
| | **Bahnhof,** der, "-e | ............ | Der Bahnhof ist neu. |
| | **halbe, halbe, halbe** | ............ | Er fährt eine halbe Stunde zur Arbeit. |
| | **Buchhandlung,** die, -en | ............ | In der Buchhandlung gibt es nicht nur Bücher. |
| | **Stadtzentrum,** das, *Pl.:* -zentren | ............ | Die Buchhandlung ist im Stadtzentrum. |

| |  | |  |
|---|---|---|---|
| | ***Stadtverkehr,*** *der, ** | .................................... | |
| | ***Wortfeld,*** *das, -er* | .................................... | Sammeln Sie Wörter zum Wortfeld „Stadt“. |
| | **Hotel,** das, -s | .................................... | Im Stadtzentrum gibt es viele Hotels. |
| 1 4 | **zu Fuß gehen** | .................................... | Herr Bohn geht zur Arbeit zu Fuß. |
| | **Bus,** der, -se | .................................... | Alina fährt mit dem Bus zum Kurs. |
| | **U-Bahn,** die, -en | .................................... | In Berlin gibt es eine U-Bahn. |
| | **Sprachkurs,** der, -e | .................................... | Der Sprachkurs fängt am Montag um neun Uhr an. |

## 2 Im Verlagshaus

| |  | |  |
|---|---|---|---|
| 2 1 | **Etage,** die, -n | .................................... | Das Haus hat vier Etagen. |
| | **Erdgeschoss,** das, -e | .................................... | Das Institut ist im Erdgeschoss. |
| | **unten** | .................................... | Unten, im Erdgeschoss, ist der Empfang. |
| | **Empfang,** der, * | .................................... | Fragen Sie am Empfang. |
| | **Kantine,** die, -n | .................................... | Die Sekretärin isst in der Kantine. Der Chef auch. |

| | | | |
|---|---|---|---|
| | **online** | ............................................ | + Bist du online?<br>– Nein, mein Computer geht nicht. |
| | ***Redaktion,*** *die, -en* | ............................................ | Die Redaktionen sind in der ersten Etage. |
| | ***Redakteur/in,*** *der/die, -e/-nen* | ............................................ | Die Redakteure arbeiten am Computer. |
| | ***Konferenzraum,*** *der, "-e* | ............................................ | |
| | **Marketing,** das, * | ............................................ | |
| | **Chef/in,** der/die, s/-nen | ............................................ | Der Chef ist in der dritten Etage im Konferenzraum. |
| 2 2 | **Werbung,** die, * | ............................................ | Der Verlag macht Werbung für das Buch. |
| 2 5 | **Abteilung,** die, -en | ............................................ | Die Marketing-Abteilung ist in der zweiten Etage. |
| 2 6 | ***Personalabteilung,*** *die, -en* | ............................................ | |
| | **Sekretariat,** das, -e | ............................................ | Bitte melden Sie sich im Sekretariat an. |
| | **Parkplatz,** der, "-e | ............................................ | Der Parkplatz ist hinter dem Verlagshaus. |
| 2 7 | ***Vertriebsleiter/in,*** *der/die, -/-nen* | ............................................ | |
| | **Feld,** das, -er | ............................................ | Kreuzen Sie in jedem Feld Zahlen an. |

## 3 *Wo ist mein Terminkalender?* Präpositionen + Dativ

| | | | |
|---|---|---|---|
| | *Terminkalender, der, -* | ........................ | |
| | **Kalender,** der, - | ........................ | Ich notiere den Termin im Kalender. |
| 3 1 | **Wand,** die, "-e | ........................ | An der Wand sind Fotos aus dem Urlaub. |
| 3 2 | **hängen,** gehangen | ........................ | Das Bild hängt an der Wand. |
| | **liegen,** gelegen | ........................ | Das Buch liegt auf dem Tisch. |
| 3 3 | **Monitor,** der, -e | ........................ | Der Computer ist alt, der Monitor aber ist neu. |
| | **CD-ROM,** die, -s | ........................ | Das ist eine CD-ROM zum Deutschlernen. |
| | **Drucker,** der, - | ........................ | Der Drucker hat kein Papier. |
| | **Tastatur,** die, -en | ........................ | Ich finde das „ñ“ nicht auf der Tastatur. |
| | **Maus,** die, "-e (Computer) | ........................ | |
| 3 4 | **Theaterkarte,** die, -n | ........................ | + Wo sind die Theaterkarten?<br>– In der Tasche. |
| | *Autoschlüssel, der, -* | ........................ | Ich finde die Autoschlüssel nicht! |
| | **Brille,** die, -n | ........................ | Ich brauche eine neue Brille. |

| | | | |
|---|---|---|---|
| | **Handtasche,** die, -n | ............ | Die Handtasche ist auf dem Stuhl. |
| 3 5 | **kalt,** kälter, am kältesten | ............ | Brr – ist das kalt! |
| | **heiß** | ............ | Der Tee ist sehr heiß. |

## 4 Termine machen

| | | | |
|---|---|---|---|
| 4 1 b | ***Telefonat,** das, -e* | ............ | |
| 4 3 | **Mai,** der, * | ............ | Im Mai ist es meistens nicht sehr heiß. |
| | **Geburtstag,** der, -e | ............ | Zu meinem Geburtstag mache ich eine Party. |
| 4 4 | **geboren** (sein) | ............ | Ich bin am 1.10.1982 geboren. |
| | ***Geburtstagskalender,** der, -* | ............ | |

## 5 Die Stadt Leipzig

| | | | |
|---|---|---|---|
| 5 1 | **Thema,** das, *Pl.:* Themen | ............ | Das Thema heute ist „Wörter lernen“. |
| | **besuchen** | ............ | Wir besuchen Dresden im Mai. |
| | **Großstadt,** die, "-e | ............ | Leipzig ist eine Großstadt mit Tradition. |

| | | |
|---|---|---|
| ***Tradition,*** *die -en* | ..................... | Leipzig ist eine Großstadt mit Tradition. |
| **stattfinden,** stattgefunden | ..................... | Heute findet der Deutschkurs nicht statt. |
| ***Messe,*** *die, -n* | ..................... | Leipzig ist auch eine Messestadt. |
| **berühmt** | ..................... | Goethe ist sehr berühmt. |
| ***Dichter/in,*** *der/die, -/-nen* | ..................... | Schiller war Dichter. |
| ***Komponist/in,*** *der/die, -en/-nen* | ..................... | Bach war Komponist und Kantor. |
| ***Kantor,*** *der, -en* | ..................... | Bach war Komponist und Kantor. |
| **Kirche,** die, -n | ..................... | Welche Kirche steht in Köln? |
| ***dirigieren*** | ..................... | Sie dirigiert ein Bach-Konzert im Gewandhaus. |
| ***Industrie,*** *die, -n* | ..................... | |
| ***Handel,*** *der, ** | ..................... | |
| ***ganzer, ganzes, ganze*** | ..................... | Hier studieren Studenten aus der ganzen Welt. |
| **Welt,** die, -en | ..................... | Hier studieren Studenten aus der ganzen Welt. |
| ***Besucher/in,*** *der/die, -/-nen* | ..................... | Besucher kommen aus der ganzen Welt. |

| | | |
|---|---|---|
| **Geschäft,** das, -e | ............................................ | Im Stadtzentrum gibt es viele Geschäfte. |
| **einladen,** eingeladen | ............................................ | Ich möchte Sie zu einem Kaffee einladen. |
| ***bummeln*** | ............................................ | Komm, wir bummeln durch Leipzig! |
| ***Musikfan,*** *der, -s* | ............................................ | |
| ***Sinfonie,*** *die, -n* | ............................................ | Die Sinfonien von Beethoven sind fantastisch. |
| ***Gewandhaus,*** *das, "-er* | ............................................ | |
| ***März,*** *der, ** | ............................................ | + Wann ist die Messe? – Im März. |
| ***Buchmesse,*** *die, -n* | ............................................ | Wir fahren zur Buchmesse nach Leipzig. |
| ***Tipp,*** *der, -s* | ............................................ | |
| **wenn** | ............................................ | Wenn Sie Leipzig besuchen, fahren Sie mit dem Zug. |
| ***zählen zu*** | ............................................ | |
| 5 2 b ***Kinofilm,*** *der, -e* | ............................................ | Der Kinofilm beginnt um 22 Uhr. |

## Übungen

| | | |
|---|---|---|
| Ü 1 ***Medizin,*** *die, -en* | ............................................ | Sie studiert Medizin. |

**Krankenhaus,** das, "-er ........................ Ich besuche ihn im Krankenhaus.

**S-Bahn,** die, -en ........................ Sie fahren mit der S-Bahn zur Arbeit.

***Uni-Klinik,*** *die, -en* ........................ + Welches Krankenhaus?
– Die Uni-Klinik.

***Gewandhausorchester,*** *das, -* ........................

Ü2 **Taxi,** das, *Pl.:* Taxen ........................ Fahren wir mit dem Taxi zur Oper?

Ü9 **Dezember,** der, * ........................ Im Dezember ist es meistens kalt.

Ü10 **Feiertag,** der, -e ........................ Der 3. Oktober ist in Deutschland ein Feiertag.

***Karfreitag,*** *der, -e* ........................

***Ostermontag,*** *der, -e* ........................

***Pfingstmontag,*** *der, -e* ........................

***Tag der deutschen Einheit*** ........................ der 3. Oktober

| | | |
|---|---|---|
| *Tätigkeit, die, -en* | ........................ | |
| **Statistik,** die, -en | ........................ | Werten Sie die Statistik aus. |

## 1 Was machen Sie beruflich?

| | | | |
|---|---|---|---|
| 1 1 | **beruflich** | ........................ | + Was machen Sie beruflich?<br>– Ich bin Lehrerin. |
| | **Bankangestellte,** der/die, -n | ........................ | Clara arbeitet in einer Bank. Sie ist Bankangestellte. |
| | **Automechaniker/in,** der/die, -/-nen | ........................ | Er arbeitet bei VW. Er ist Automechaniker. |
| | ***Programmierer/in,*** *der/die, -/-nen* | ........................ | Peter arbeitet bei IBM. Er ist Programmierer. |
| | **Kellner/in,** der/die, -/-nen | ........................ | Sie arbeitet in einem Café. Sie ist Kellnerin. |
| | ***Taxifahrer/in,*** *der/die, -/-nen* | ........................ | Sie ist Ärztin, aber sie arbeitet als Taxifahrerin. |
| | **Krankenschwester,** die, -n | ........................ | In dem Krankenhaus arbeiten viele Ärzte und Krankenschwestern. |
| | **Bäcker/in,** der/die, -/-nen | ........................ | Morgens gehe ich immer zum Bäcker. |
| 1 2 | **arbeiten** (als) | ........................ | Dr. Götte arbeitet als Programmierer. |
| 1 4 | **bringen,** gebracht | ........................ | Bringen Sie mich zum Bahnhof. |

**Geld,** das, -er ........ Karl verdient sein Geld als Informatiker.

## 2 Berufe und Tätigkeiten

2 1 ***Berufsbezeichnung,*** *die, -en* ........

**Endung,** die, -en ........ Feminine Berufsbezeichnungen haben meistens die Endung „-in“.

**Krankenpfleger/in,** der/die, -/nen ........ Krankenpfleger arbeiten oft in Krankenhäusern.

**Hausmann/-frau,** der/die, "-er/-en ........ Olaf geht nicht arbeiten, er ist Hausmann.

2 2 **tun,** getan ........ Es gibt viel zu tun.

**reparieren** ........ Der Automechaniker repariert Autos.

**unterrichten** ........ Die Lehrerin unterrichtet Deutsch.

**verkaufen** ........ Herr Scholz ist Verkäufer. Er verkauft Schuhe.

**Schuh,** der, -e ........ Herr Scholz ist Verkäufer. Er verkauft Schuhe.

**Werkstatt,** die, "-en ........ Mein Auto ist kaputt. Es ist in der Werkstatt.

**schneiden,** geschnitten ........ Ein Frisör schneidet Haare.

| | | | |
|---|---|---|---|
| | **Haar,** das, -e | ..................... | Ein Frisör schneidet Haare. |
| | **Schuhgeschäft,** das, -e | ..................... | Herr Scholz arbeitet in einem Schuhgeschäft. |
| | **Computerprogramm,** das, -e | ..................... | Das Computerprogramm ist nicht teuer. |
| | **untersuchen** | ..................... | Ein Arzt untersucht Patienten. |
| | ***Patient/in,*** *der/die, -en/-nen* | ..................... | Ein Arzt untersucht Patienten. |
| | **Frisörsalon,** der, -s | ..................... | Er ist Frisör und hat einen Frisörsalon. |
| | **Mechaniker/in,** der/die, -/-nen | ..................... | Die Maschine ist kaputt. Die Mechanikerin repariert sie. |
| | **Maschine,** die, -n | ..................... | Die Maschine ist kaputt. Die Mechanikerin repariert sie. |
| | **Verkäufer/in,** der/die, -/-nen | ..................... | Der Verkäufer ist unfreundlich. |
| | **Ding,** das, -e | ..................... | Ich sehe die Dinge so wie sie sind. |
| 2 3 a | ***Visitenkarte,*** *die, -n* | ..................... | Lesen Sie die Visitenkarten. |
| | **Firma,** die, *Pl.:* Firmen | ..................... | + Wo arbeiten Sie? – Bei der Firma PST. |
| 2 3 c | ***übergeben,*** *übergeben* | ..................... | Übergeben Sie Ihre Visitenkarten. |

| | | | |
|---|---|---|---|
| | **tauschen** | ........ | Tauschen Sie die Visitenkarten. |
| 2 5 | ***Software-Lösung,*** *die, -en* | ........ | |
| | **Lösung,** die, -en | ........ | Es gibt keine Lösung für das Problem. |

## 3 Neue Berufe

| | | | |
|---|---|---|---|
| 3 1 | ***Call-Center,*** *das, -* | ........ | |
| | **Kollege/Kollegin,** der/die, -n/-nen | ........ | Das ist mein Kollege / meine Kollegin. Wir arbeiten zusammen. |
| | **sitzen,** gesessen | ........ | Herr und Frau Schmidt sitzen im Café. |
| | **beraten,** beraten | ........ | Pia arbeitet in einem Call-Center und muss Kunden beraten. |
| | **Kunde/Kundin,** der/die, -n/-nen | ........ | Der Frisör hat viele Kunden. |
| | **informieren** (jdn) | ........ | Sie informiert die Kunden über Flugzeiten. |
| | ***Flugzeit,*** *die, -en* | ........ | Sie informiert sie über Flugzeiten und reserviert Flugtickets. |
| | **reservieren** | ........ | Sie reserviert Flugtickets für ihre Kunden. |
| | **Flugticket,** das, -s | ........ | |

| | | | |
|---|---|---|---|
| | **freundlich** | ........................................ | Unser Lehrer ist immer freundlich. |
| | **leicht** (1) | ........................................ | Diese Aufgabe ist nicht schwer, sie ist leicht. |
| | **Arbeitszeit,** die, -en | ........................................ | Die Arbeitszeit ist von neun bis 17.30 Uhr. |
| | **flexibel** | ........................................ | Unsere Arbeitszeit ist flexibel. |
| | **Wochenende,** das, -n | ........................................ | Am Wochenende schlafe ich viel. |
| | **wenig** | ........................................ | Am Wochenende muss ich oft arbeiten und habe wenig Zeit. |
| | **Tochter,** die, " | ........................................ | Im März heiratet meine Tochter. |
| | **Haushalt,** der, -e | ........................................ | Wir machen den Haushalt zusammen. |
| | **stundenlang** | ........................................ | Meine Tochter telefoniert stundenlang. |
| | **allein** | ........................................ | Ich habe keine Freunde. Ich bin oft allein. |
| | **stimmen** | ........................................ | 8 mal 7 ist 56. Ja, stimmt. |
| 3 2 | ***Fitness-Studio,*** *das, -s* | ........................................ | Silke ist Trainerin in einem Fitness-Studio. |
| | **Trainer/in,** der/die, -/-nen | ........................................ | Silke ist Trainerin in einem Fitness-Studio. |
| | **leiten** | ........................................ | Sie leitet das Studio seit sechs Monaten. |

| | | | |
|---|---|---|---|
| | ***Aerobic-Kurs,*** *der, -e* | .................... | |
| | **Mitglied,** das, -er | .................... | Sie muss die Mitglieder beraten und die Kurse organisieren. |
| | **organisieren** | .................... | Sie muss die Mitglieder beraten und die Kurse organisieren. |
| | ***Animateur,*** *der, -e* | .................... | Sie arbeiten als Animateure in einem Sportclub in Spanien. |
| | ***Club,*** *der, -s* | .................... | |
| | **Chance,** die, -n | .................... | Das ist unsere Chance! Da können wir viel Geld verdienen. |
| | ***Showprogramm,*** *das, -e* | .................... | Wir müssen das Showprogramm noch organisieren. |
| | **planen** | .................... | Sie ist Lehrerin. Sie plant ihren Unterricht abends. |
| | ***Kaufmann/Kauffrau,*** *der/die, Pl.: Kaufleute* | .................... | + Was machen Sie beruflich?<br>– Ich bin Kauffrau in einem Verlag. |
| 3 3 | **Flugzeug,** das, -e | .................... | Wir fliegen mit dem Flugzeug von Berlin nach Tallinn. |
| 3 4 | **nie** | .................... | Man soll nie nie sagen. |
| | **Fabrik,** die, -en | .................... | Er arbeitet in einer Fabrik. |
| | **Tier,** das, -e | .................... | Sie arbeitet im Zoo mit Tieren. |
| | **früh** | .................... | Heute fangen wir früh an, morgen spät ... |

**Hand,** die, "-e ........................ Peter gibt der Chefin zur Begrüßung die Hand.

**verdienen** ........................ Das ist ein guter Job und man verdient viel Geld.

**Arbeitslosigkeit,** die, * ........................ Viele Menschen haben keine Arbeit. Die Arbeitslosigkeit ist hoch.

**arbeitslos** ........................ Paul hat keine Arbeit. Er ist arbeitslos.

***Arbeitsagentur,*** *die, -en* ........................ Die Arbeitsagentur hilft bei der Suche nach Arbeit.

**Suche,** die, -n ........................ Die Arbeitsagentur hilft bei der Suche nach Arbeit.

***Arbeitsmarkt,*** *der, "-e* ........................

**Arbeitslose,** der/die, -n ........................ Arbeitslose bekommen Geld von der Arbeitsagentur.

## 4 Satzklammer

4 2 **Ferien,** *Pl.* ........................ Wir machen Ferien zu Hause.

**Sohn,** der, "-e ........................ Sie haben zwei Söhne, Ralf und Michael.

**Kindergarten,** der, " ........................ Ihre Kinder sind im Kindergarten.

**bringen,** gebracht ........................ Sie bringt ihre Kinder um acht Uhr.

**abholen** ........................ Mein Freund holt mich nach dem Kurs ab.

| | | | |
|---|---|---|---|
| | ***Fußballtraining,*** *das, -s* | ........................ | Jeden Samstag gehe ich zum Fußball-training. |
| | **Training,** das, -s | ........................ | Das Training beginnt um 19.30 Uhr. |
| | **fernsehen,** ferngesehen | ........................ | Mein Tagesablauf: Schule, Hausaufgaben, fernsehen, schlafen. |

## 5 Artikelwörter im Akkusativ

| | | | |
|---|---|---|---|
| 5 2 | **Bruder,** der, " | ........................ | Ich habe zwei Brüder: Florian und Klaus. |
| 5 3 | **Koffer,** der, - | ........................ | Wir machen Urlaub. Wir müssen noch die Koffer packen. |
| | **einpacken** | ........................ | Ich packe meine Bücher ein. |
| 5 4 | **hassen** | ........................ | Hanna hasst Hausaufgaben. |
| | **Berufstätige,** der/die, -n | ........................ | Viele Berufstätige lieben ihren Job. |

## Übungen

| | | | |
|---|---|---|---|
| Ü 3 | ***Mechaniker/in,*** *der/die, -/-nen* | ........................ | Ich bin Mechaniker und meine Freundin ist Programmiererin. |
| Ü 4 | ***Arbeitsplatz,*** *der, "-e* | ........................ | |
| | ***Titel,*** *der, -* | ........................ | Sein Titel ist Dr. med. |

| | | | |
|---|---|---|---|
| | ***Chefarzt/ärztin,*** *der/die, "-e/-nen* | ........................................ | Er ist Chefarzt in einem Krankenhaus in Tübingen. |
| Ü6 | **privat** | ........................................ | Wir arbeiten zusammen und wir machen auch privat viel zusammen. |
| Ü10 | ***Lieblingsberuf,*** *der, -e* | ........................................ | |
| | ***Stelle,*** *die, -n* | ........................................ | Er sucht eine Stelle in einem Verlag. |
| | **jung,** jünger, am jüngsten | ........................................ | jung ≠ alt |
| | ***Elektriker/in,*** *der/die, -/-nen* | ........................................ | Der Elektriker repariert die Lampe. |
| Ü11 | ***Schere,*** *die, -n* | ........................................ | Ich brauche eine Schere und etwas Papier. |

# 8 Berlin sehen

| | | |
|---|---|---|
| **durch** | ........................................ | Wir fahren durch die Stadt. |
| **Reise,** die, -n | ........................................ | Die Reise nach Berlin war sehr schön. |
| **vorbei** | ........................................ | Der Bus fährt an der Universität vorbei. |

| | | | |
|---|---|---|---|
| | **wollen** | .................... | Wir wollen Berlin besuchen. |

## 1 Mit der Linie 100 durch Berlin

| | | | |
|---|---|---|---|
| 1 1 | **Linie,** die, -n | .................... | Die Buslinie 21 fährt ins Stadtzentrum. |
| 1 2 | ***Exkursion,*** *die, -en* | .................... | Die Studenten machen eine Exkursion nach Berlin. |
| | ***Busplan,*** *der, "-e* | .................... | + Wann fährt der Bus?<br>– Lesen Sie den Busplan. |
| | **Haltestelle,** die, -n | .................... | Die Haltestelle ist neben dem Bahnhof. |
| | **Programm,** das, -e | .................... | Das Programm in Berlin war sehr interessant. |
| | **Spaziergang,** der, "-e | .................... | Machen wir einen Spaziergang im Park? |
| | ***Regierung,*** *die, -en* | .................... | |
| | **Viertel,** das, - | .................... | Das Regierungsviertel ist sehr interessant: der Reichstag, das Bundeskanzleramt, ... |
| | ***Parlament,*** *das, -e* | .................... | |
| | **besichtigen** | .................... | Die Studenten besichtigen den Reichstag. |
| | ***Flohmarkt,*** *der, "-e* | .................... | Gehen wir am Sonntag auf den Flohmarkt? |
| | **Hit,** der, -s | .................... | Ein Hit ist die Fahrt mit dem Bus. |

| | | |
|---|---|---|
| **Fahrt,** die, -en | ........................ | Die Fahrt mit dem Bus durch die Stadt war ein Hit. |
| **Stadtrundfahrt,** die, -en | ........................ | Die Stadtrundfahrt ist billig. |
| **voll** | ........................ | Der Bus ist oft voll. |
| **beliebt** (sein) | ........................ | Die Fahrt mit dem Bus 100 ist sehr beliebt. |
| **Reihe,** die, -n | ........................ | Die erste Reihe oben im Bus ist sehr beliebt. |
| **fotografieren** | ........................ | = Fotos machen |
| 1 3 ***Route,*** *die, -n* | ........................ | |
| ***Botschaft,*** *die, -en* | ........................ | Also, ich arbeite bei der Botschaft von Polen. |
| **Schloss,** das, "-er | ........................ | In Heidelberg gibt es ein Schloss. |
| ***Dom,*** *der, -e* | ........................ | |
| ***Galerie,*** *die, -n* | ........................ | |
| ***Exkursionsprogramm,*** *das, -e* | ........................ | |
| **Abfahrt,** die, -en | ........................ | + Wann ist die Abfahrt morgen?<br>– Um 8.30 Uhr. |
| **Busbahnhof,** der, "-e | ........................ | Der Busbahnhof ist neben dem Bahnhof. |

| | | | |
|---|---|---|---|
| | **Ankunft,** die, "-e | ........................ | Die Ankunft in Berlin ist um 14 Uhr. |
| | ***Stadtbummel,*** *der, -* | ........................ | Nach der Ankunft am Nachmittag machen wir einen Stadtbummel. |

## 2 Orientierung systematisch

| | | | |
|---|---|---|---|
| 2 1 | **Nachmittag,** der, -e | ........................ | Am Nachmittag machen wir einen Stadtbummel durch Mitte. |
| | **wo geht's zu(m/r)** | ........................ | + Entschuldigung, wo geht's zur Wilhelmstraße? – Gehen Sie hier geradeaus. |
| | **wissen,** gewusst | ........................ | Wissen Sie, wie spät es ist? |
| | **weit** | ........................ | Entschuldigung, wie weit ist es bis Berlin? |
| | **geradeaus** | ........................ | Entschuldigung, wo geht's zur Wilhelmstraße? – Gehen Sie hier geradeaus. |
| | **entlang** | ........................ | Gehen Sie die Straße entlang bis zur zweiten Querstraße. |
| | **Querstraße,** die, -n | ........................ | Gehen Sie die Straße entlang bis zur zweiten Querstraße. |
| | **Vielen Dank!** | ........................ | + Bitte schön, Ihr Kaffee. – Vielen Dank! |
| 2 2 | **wohin** | ........................ | + Wohin geht ihr heute Nachmittag? – Wir gehen ins Museum. |
| 2 4 | ***Silbenende,*** *das, -n* | ........................ | Aussprache „r“ am Silbenende. |
| 2 5 | ***Wegbeschreibung,*** *die, -en* | ........................ | Ich habe eine Wegbeschreibung. |

| | | | |
|---|---|---|---|
| | **Beschreibung,** die, -en | ........................ | Du bekommst eine Beschreibung von dem Weg. |
| | ***Stadttor,*** *das, -e* | ........................ | + Kennst du das Stadttor in Potsdam?<br>– Nein. |
| | **Kreuzung,** die, -en | ........................ | Der Bahnhof? Gehen Sie bis zur Kreuzung, dann links. |
| | **Geht's hier zu(r/m) ...?** | ........................ | + Geht's hier zum Theater? – Gehen Sie hier geradeaus bis zur Ampel. |
| | **Brücke,** die, -n | ........................ | Zum Bahnhof? Gehen Sie über die Brücke, dann rechts. |
| | **Ampel,** die, -n | ........................ | An der Ampel biegen Sie links ab. |
| | **danach** | ........................ | Erst gehen wir essen. Danach gehen wir ins Kino. |
| | **vorbeigehen** (an etw.), vorbeigegangen | ........................ | Gehen Sie an der Kirche vorbei. Dann sehen Sie die Buchhandlung. |
| 2 6 a | **Notiz,** die, -en | ........................ | Machen Sie Notizen im Heft. |
| 2 7 | **immer schneller** | ........................ | Sprechen Sie zuerst langsam und dann immer schneller. |
| | ***Ampelkreuzung,*** *die, -en* | ........................ | |
| | ***manche*** | ........................ | Manche Kreuzungen haben keine Ampel. |
| | **meinen** | ........................ | Du meinst, das ist leicht? Das glaube ich nicht. |
| | ***verwechseln*** | ........................ | Er verwechselt oft links und rechts. |

| | | | |
|---|---|---|---|
| | ***Irrtum,*** *der, Pl.: Irrtümer* | ........................ | Das kann nicht sein. Das ist ein Irrtum. |
| 2 8 | **Kamera,** die, -s | ........................ | Ich fotografiere viel mit meiner Kamera. |

## 3 Wohin gehen die Touristen?

| | | | |
|---|---|---|---|
| 3 1 | **laufen,** gelaufen | ........................ | Die Touristen laufen den ganzen Tag durch die Stadt. |
| | ***Fußgängerzone,*** *die, -n* | ........................ | In einer Fußgängerzone fahren keine Autos. |
| | ***Messegelände,*** *das, -* | ........................ | |
| | ***Stadion,*** *das, Pl.: Stadien* | ........................ | Die Touristen fahren zum Stadion. |
| | ***Touristeninformation,*** *die, -en* | ........................ | Wo ist hier die Touristeninformation, bitte? |
| 3 2 | ***Orientierungsspiel,*** *das, -e* | ........................ | Das Orientierungsspiel hilft, Wegbeschreibungen zu üben. |
| 3 3 | **Ziel,** das, -e | ........................ | Mein Ziel heute? 20 Vokabeln lernen. |
| | **Schwimmbad,** das, "-er | ........................ | Es ist heiß. Gehen wir ins Schwimmbad? |

## 4 Die Exkursion

| | | | |
|---|---|---|---|
| 4 1 | **super** | ........................ | Die Studentin findet Berlin super. |

| | | |
|---|---|---|
| **Spaß,** der, *hier:* viel Spaß | ........................ | Wir hatten in Berlin viel Spaß. |
| **gefallen,** gefallen (etw. jdm) | ........................ | Berlin gefällt ihr. |
| **toll** | ........................ | Der Urlaub dieses Jahr war toll. |
| ***Studium,*** *das, Pl.: Studiengänge* | ........................ | Nach der Schule mache ich ein Studium. |
| ***Berliner,*** *der, -* | ........................ | |
| **bald** | ........................ | Bis bald. |
| **wieder** | ........................ | Ich fahre bald wieder nach Berlin. |
| **interessieren** (sich für + *Akk.*) | ........................ | Sie interessieren sich besonders für Architektur. |
| ***Architektur,*** *die, -en* | ........................ | Sie interessieren sich besonders für Architektur. |
| ***klassisch*** | ........................ | |
| **mieten** | ........................ | Mieten wir ein Auto in Berlin? |
| **unterwegs** | ........................ | Ich bin den ganzen Tag in der Stadt unterwegs. |
| **sportlich** | ........................ | Sie ist sehr sportlich. Sie joggt jeden Tag. |
| **4 2 a** ***cool*** | ........................ | Hi, dein Outfit ist cool. |

| |  | |  |
|---|---|---|---|
| | **feiern** | ........................ | Frau Gutmuts feiert heute ihren 25. Geburtstag. |
| | **Schade!** | ........................ | Du warst nicht hier. Schade! |
| 4 2 b | ***Theaterbesuch,*** *der, -e* | ........................ | |
| | **Freizeit,** die, * | ........................ | In ihrer Freizeit gehen sie oft schwimmen. |
| | ***thematisch*** | ........................ | Das ist eine thematische Stadtführung. Es geht um jüdische Kultur. |
| | **Stadtführung,** die, -en | ........................ | Die Stadtführung war sehr schön. |
| | **jüdisch** | ........................ | die jüdische Kultur in Berlin |
| | ***Parade,*** *die, -n* | ........................ | Heute ist Christopher-Street-Day. Gehst du zur Parade? |
| | **Rückfahrt,** die, -en | ........................ | Die Rückfahrt nach Jena ist um 14 Uhr. |
| 4 3 | ***Internetrallye,*** *die, -s* | ........................ | |
| | ***virtuell*** | ........................ | Machern Sie eine virtuelle Stadtrundfahrt im Internet. |
| | ***Stadtviertel,*** *das, -* | ........................ | Mitte ist ein Stadtviertel in Berlin. |

## Übungen

| |  | |  |
|---|---|---|---|
| Ü 1 a | ***Suchrätsel,*** *das, -* | ........................ | Finden Sie fünf Wörter im Suchrätsel. |

| | | | |
|---|---|---|---|
| | ***Rätsel,*** *das, -* | ........................................ | Kannst du das Rätsel lösen? |
| | ***Markt,*** *der, ¨-e* | ........................................ | Wir kaufen auf dem Markt ein. |
| | ***abfahren,*** *abgefahren* | ........................................ | Wir fahren morgen um neun Uhr ab. |
| **Ü 2** | ***etwa*** | ........................................ | Der Kursraum hat etwa 35 Quadratmeter. |
| **Ü 5** | ***in der Nähe*** | ........................................ | Der Flohmarkt ist nicht weit. Er ist in der Nähe. |
| **Ü 10 b** | **zu Ende** (sein) | ........................................ | Peter macht die Hausaufgaben heute Abend zu Ende. |
| **Ü 11** | **tanzen** | ........................................ | Die Studenten tanzen in der Disco. |
| | ***Ausstellung,*** *die, -en* | ........................................ | Wir besuchen eine Picasso-Ausstellung. |

## 1 Berufsbilder

| | | |
|---|---|---|
| 1 1 a ***produzieren*** | ........................................ | Die Firma produziert Teddybären und Stofftiere. |
| ***Teddybär,*** *der, -en* | ........................................ | Die Firma produziert Teddybären und Stofftiere. |
| ***Stofftier,*** *das, -e* | ........................................ | Die Firma produziert Teddybären und Stofftiere. |
| ***typisch*** | ........................................ | Der Teddybär ist ein typisches Produkt von Steiff. |
| ***Telefonate führen*** | ........................................ | Die Sekretärin muss viele Telefonate führen. |
| ***senden*** | ........................................ | Sie sendet jeden Tag Faxe. |
| ***buchen*** | ........................................ | Sie muss auch Hotelzimmer buchen. |
| ***Besprechung,*** *die, -en* | ........................................ | + Wann ist die Besprechung mit dem Chef? – Um elf Uhr. |
| ***betreuen*** | ........................................ | Sie betreut Gäste aus vielen Ländern. |
| ***Gast,*** *der, ¨-e* | ........................................ | Sie betreut Gäste aus vielen Ländern. |
| ***Fremdsprachenkenntnisse,*** *Pl.* | ........................................ | Fremdsprachenkenntnisse sind wichtig für die Karriere. |

| |  | |  |
|---|---|---|---|
| | ***Karriere**, die, -n* | ............................................ | Fremdsprachenkenntnisse sind wichtig für die Karriere. |
| 1 2 | ***Stichwort**, das, ¨-er* | ............................................ | Notieren Sie die Stichwörter. |
| 1 3 a | ***Meister**, der, -* | ............................................ | Er ist Automechaniker und Meister in einem Audi-Werk. |
| | ***Azubi**, der/die, -s (Kurzform von Auszubildende/r)* | ............................................ | Sie ist Azubi bei Audi. |
| | ***Service**, der, ** | ............................................ | Er macht den Service für alle Audi-Modelle. |
| | ***Modell**, das, -e* | ............................................ | Er macht den Service für alle Audi-Modelle. |
| | ***Diagnose**, die, -n* | ............................................ | Seine Aufgaben: Diagnose, Termine machen, ... |
| | ***Diskussion**, die, -en* | ............................................ | Manchmal gibt es Diskussionen mit den Kunden über die Kosten. |
| | ***Kosten**, Pl.* | ............................................ | Manchmal gibt es Diskussionen mit den Kunden über die Kosten. |
| 1 3 c | ***Reparatur**, die, -en* | ............................................ | Die Reparatur ist nicht immer billig. |
| | ***vielleicht*** | ............................................ | Vielleicht ist es der Motor. |
| | ***Motor**, der, -en* | ............................................ | Der Motor ist kaputt. |

## 2 Wörter, Spiele, Training

| | | | |
|---|---|---|---|
| 2 1 a | ***erledigen*** | ................................ | Ich komme heute später. Ich muss noch viel erledigen. |
| | ***Arzthelfer/in,*** *der/die, -/-nen* | ................................ | Die Arzthelferin arbeitet von acht bis 17 Uhr. |
| | ***Vormittag,*** *der, -e* | ................................ | Am Vormittag kommen viele Patienten. |
| | ***klingeln*** | ................................ | Das Telefon klingelt sehr oft. |
| 2 3 | ***Software,*** *die, -s* | ................................ | Wir haben oft Probleme mit der Software. |
| | ***Speisekarte,*** *die, -n* | ................................ | Der Wein steht nicht in der Speisekarte. |
| | ***kassieren*** | ................................ | Die Kellnerin kassiert das Geld. |
| 2 4 b | ***falsch*** | ................................ | falsch ≠ richtig; Die Antwort ist falsch. |
| | ***Ball,*** *der, ¨-e* | ................................ | Der Ball ist im Tor. Eins zu Null. |
| | ***Tor,*** *das, -e* | ................................ | Der Ball ist im Tor. Eins zu Null. |
| | ***usw. (= und so weiter)*** | ................................ | |
| 2 5 a | ***Blatt,*** *das, ¨-er* | ................................ | Schreiben Sie drei Wörter auf ein Blatt Papier. |

## 3 Grammatik und Selbstevaluation

3 1 ***Ärztehaus,*** *das, ¨-er* ........................ Im Ärztehaus arbeiten viele Ärzte und Ärztinnen.

3 3 ***nachdenken*** *(über), nachgedacht* ........................ Wir denken über den Deutschkurs nach.

## 4 Phonetik intensiv

4 1 ***Post,*** *die, ** ........................ Wo geht's hier zur Post?

***Karten spielen*** ........................ Wir spielen jeden Sonntagnachmittag Karten.

***Flasche,*** *die, -n* ........................ Eine Flasche Ketchup, bitte.

***Fliege,*** *die, -n* ........................ Die Fliege sitzt auf der Lampe.

***fliegen,*** *geflogen* ........................ Die Fliege fliegt durchs Zimmer.

***Blaukraut,*** *das, ** ........................

***Brautkleid,*** *das, -er* ........................

## 5 Videostation 2

5 1 ***korrigieren*** ........................ Korrigieren Sie die Sätze.

***ankommen,*** *angekommen* ........................ Der Zug kommt in fünf Minuten an.

***Tante,*** *die, -n* .................... Meine Tante lebt in Köln.

***übernachten*** .................... Sie übernachtet in einem Hotel.

4 2 ***einsteigen,*** *eingestiegen* .................... Katja steigt in den Zug ein.

***Richtung,*** *die, -en* .................... Fahren Sie in Richtung Innsbrucker Platz.

***circa (ca.)*** .................... Es sind circa drei Stationen.

***Station,*** *die, -en* .................... Es sind drei Stationen bis zum Nollendorfplatz.

# 9 Ferien und Urlaub

**Urlaub,** der, -e .................... Wir machen im Sommer Urlaub.

**Unfall,** der, "-e .................... Er beschreibt den Unfall.

***regelmäßig*** ≠ *unregelmäßig* .................... Viele Verben sind regelmäßig.

## 1 Urlaub in Deutschland

| | | | |
|---|---|---|---|
| 1 2 | ***Reiseziel,*** *das, -e* | ........................................ | Mein Reiseziel ist Warschau. |
| | **Sonne,** die, -n | ........................................ | Sonne und Strand: Wer denkt da nicht an Urlaub? |
| | **Strand,** der, "-e | ........................................ | Sonne und Strand: Wer denkt da nicht an Urlaub? |
| | **Meer,** das, -e | ........................................ | Hanna schwimmt am liebsten im Meer. |
| | **Urlauber/in,** der/die, -/-nen | ........................................ | Viele Urlauber fahren ans Meer. |
| | **Juli,** der, * | ........................................ | Viele fahren im Juli in Urlaub. |
| | **August,** der, * | ........................................ | Der August war sehr heiß. |
| | **Insel,** die, -n | ........................................ | Welche Insel ist am größten? |
| | **schmal** | ........................................ | schmal ≠ breit; Der Weg ist sehr schmal. |
| | ***Rad-, Wanderweg,*** *der, -e* | ........................................ | Es gibt viele Rad- und Wanderwege auf Sylt. |
| | **Altstadt,** die, "-e | ........................................ | Die Altstadt von Heidelberg ist sehr beliebt. |
| | **erholen** (sich) | ........................................ | Viele Urlauber erholen sich in den Bergen. |
| | **Berg,** der, -e | ........................................ | Im Allgäu gibt es viele Berge. |
| | ***wandern*** | ........................................ | Im Urlaub wandern wir jeden Tag. |

| | | | |
|---|---|---|---|
| | **Besichtigung,** die, -en | ................................ | Das Schloss ist eine Attraktion. Aber eine Besichtigung kostet viel Zeit. ... |
| | ***Warteschlange,*** *die, -n* | ................................ | ... Es gibt fast immer Warteschlangen. |
| 1 4 | **See,** der, -n | ................................ | + Wo wart ihr?<br>– Wir waren an einem See in Bayern. |
| | **See,** die, * | ................................ | Wir waren an der Nordsee. |
| | **langweilig** | ................................ | Die Theatervorstellung war langweilig. |
| | **Wetter,** das, * | ................................ | Das Wetter im Urlaub war prima. |
| | **prima** | ................................ | + Wie geht's? – Prima. |
| | **schlecht** | ................................ | + Wie war das Wetter in den Bergen?<br>– Sehr schlecht. Es hat oft geregnet. |
| | **regnen** (es regnet) | ................................ | Im Sommer regnet es nicht so viel. |
| 1 5 | ***Lautdiktat,*** *das, -e* | ................................ | Ein Lautdiktat: langer oder kurzer Vokal? |

## 2 Ein Urlaub – vier Länder

| | | | |
|---|---|---|---|
| 2 2 | **Tagebuch,** das, "-er | ................................ | Familie Mertens schreibt ein Tagebuch. |
| | **Juni,** der, * | ................................ | Der Sommer beginnt im Juni. |

| | | |
|---|---|---|
| **vormittags** | ........................................ | Vormittags haben wir Unterricht, nachmittags mache ich Hausaufgaben. |
| **Radtour,** die, -en | ........................................ | Ich mache eine Radtour und fahre mit dem Rad von Passau nach Wien. |
| **Tour,** die, -en | ........................................ | Die Tour ist heute nur 27 km lang. |
| ***Etappe,*** *die, -n* | ........................................ | Die erste Etappe ist kurz. |
| **km** (= Kilometer) | ........................................ | Bis zum nächsten Ort sind es 50 km. |
| **schaffen** | ........................................ | Wir haben die erste Etappe geschafft. Jetzt sind wir müde. |
| ***mittags*** | ........................................ | Mittags essen wir. |
| ***Picknick,*** *das, -s* | ........................................ | Wir machen heute ein Picknick im Park. |
| ***Pension,*** *die, -en* | ........................................ | Wir haben in einer kleinen Pension gewohnt. |
| **übernachten** | ........................................ | In diesem Hotel können Sie übernachten. |
| **müde** | ........................................ | Ich bin müde wie ein Hund. |
| **Bummel,** der, - | ........................................ | Wir haben einen Bummel durch das Stadtzentrum gemacht. |
| **Torte,** die, -n | ........................................ | Am Sonntag esse ich nachmittags gern Torte. |
| **probieren** | ........................................ | Probieren Sie den Kuchen. Er ist sehr gut. |

| | | | |
|---|---|---|---|
| | ***Weiterfahrt**, die, -en* | ........................ | Nachmittags war Weiterfahrt Richtung Wien. |
| | **Richtung**, die, -en | ........................ | Nachmittags war Weiterfahrt Richtung Wien. |
| | ***Kloster**, das, ¨-er* | ........................ | Wir haben das Kloster in Melk besichtigt. |
| | ***Hurra!*** | ........................ | Wir haben es geschafft. 326 km. Hurra! |
| | **erreichen** | ........................ | Wir haben das Hotel erst am Abend erreicht. |
| | ***Riesenrad**, das, ¨-er* | ........................ | In Wien gibt es ein Riesenrad. |
| | **anschauen** | ........................ | Wir haben das Riesenrad im Prater angeschaut. |
| | ***gastfreundlich*** | ........................ | |
| | ***Burg**, die, -en* | ........................ | |
| | ***Blick**, der, -e* | ........................ | Der Blick auf die Donau ist toll. |
| | **stolz** | ........................ | Wir haben es geschafft. Wir sind sehr stolz. |
| 2 3 | ***Kombination**, die, -en* | ........................ | |
| | ***Reiseführer**, der, -* | ........................ | Ich kaufe einen Reiseführer für Italien. |
| 2 4 | **zelten** | ........................ | Wir haben in den Bergen gezeltet. |

| | | | |
|---|---|---|---|
| | ***Städtereise,** die, -n* | .................................................. | |
| | ***Na klar!*** | .................................................. | + Kennst du Berlin? – Na klar! |
| 2 5 a | **bilden** | .................................................. | Bilden Sie nun Vergleichssätze. |
| | **ohne** | .................................................. | Ohne Wecker wacht Wilhelm nicht auf. |
| 2 5 b | ***Satzende,** das, -n* | .................................................. | Das Partizip steht am Satzende. |

## 3 Was ist passiert?

| | | | |
|---|---|---|---|
| 3 2 | **fallen,** gefallen | .................................................. | Er ist vom Rad gefallen. |
| | **Straße,** die, -n | .................................................. | Die Apotheke ist in der Kantstraße. |
| | **Ball,** der, "-e | .................................................. | Ohne Ball können wir nicht Fußball spielen. |
| | **plötzlich** | .................................................. | Plötzlich war ich allein. |
| | **fliegen,** geflogen | .................................................. | Viele Flugzeuge fliegen nach Frankfurt. |
| | **Schreck,** der, * | .................................................. | Ich bin vom Rad gefallen. Es ist nichts passiert, aber der Schreck war groß. |
| | **verlieren,** verloren | .................................................. | Sie hat ihr Deutschbuch verloren. |
| | ***Protokoll,** das, -e* | .................................................. | Die Polizei hat ein Protokoll geschrieben. |

| | | | |
|---|---|---|---|
| | **weiterfahren,** weitergefahren | ........ | Soll ich weiterfahren oder fährst du lieber? |
| 3 4 | **Oh je!** | ........ | + Ich bin vom Rad gefallen.<br>– Oh je, ist dir etwas passiert? |
| | **rufen,** gerufen | ........ | Hast du mich gerufen? |
| 3 5 b | **bleiben,** geblieben | ........ | Wir sind drei Tage in Wien geblieben. |
| 3 6 | **Interview,** das, -s | ........ | Hören Sie die Interviews. |

## 4 Urlaubsplanung und Ferientermine

| | | | |
|---|---|---|---|
| | **Planung,** die, -en | ........ | Wir haben unsere Urlaubsplanung gemacht. |
| 4 1 | **Monat,** der, -e | ........ | Unser Baby ist zwölf Monate alt. |
| | ***Monatsname,*** *der, -n* | ........ | Monatsnamen: Januar, Februar, .... |
| | **Weihnachten,** das, - | ........ | Frohe Weihnachten! |
| | **Ostern,** das (Osterfest), * | ........ | Wann ist Ostern? |
| | **Schulferien,** *Pl.* | ........ | Die nächsten Schulferien sind im Sommer. |
| | **Januar,** der, * | ........ | Im Januar sind wir Ski gefahren. |
| | **Februar,** der, * | ........ | Im Februar ist es immer noch sehr kalt. |

| | | | |
|---|---|---|---|
| | **April,** der, * | ........................ | Der April macht, was er will: mal Sonne, mal Regen. |
| | **September,** der, * | ........................ | Wir hatten einen schönen September: viel Sonne. |
| | **Oktober,** der, * | ........................ | Ich habe im Oktober Geburtstag. |
| | **November,** der, * | ........................ | Der November ist kein schöner Monat. |
| | **Dezember,** der, * | ........................ | Im Dezember fängt der Winter an. |
| | ***beachten*** | ........................ | Wir müssen bei der Planung die Ferientermine beachten. |
| | ***Weihnachtsferien,*** *Pl.* | ........................ | |
| | **Winter,** der, - | ........................ | Der Winter ist schön. |
| | **Frühling,** der, -e | ........................ | Der Frühling ist eine schöne Jahreszeit. |
| | **Herbst,** der, -e | ........................ | Der Herbst beginnt im September. |
| | **Sommer,** der, - | ........................ | Im Sommer sind viele Leute am Strand. |
| | ***Herbstferien,*** *Pl.* | ........................ | Die Herbstferien sind bei uns im Oktober. |
| 4 3 | **Lied,** das, -er | ........................ | Kennen Sie das Lied „Ab in den Süden“? |
| | ***Sonnenschein,*** *der, ** | ........................ | Hier gibt es nur Sonnenschein und keinen Regen. |

***Flieger**, der, -* ........................ Flugzeug = Flieger

**rein** ........................ rein ≠ raus

***bereitmachen** (sich)* ........................ Sie machen sich für den Start bereit.

**Zärtlichkeit,** die, -en ........................

**raus** ........................ rein ≠ raus

**Regen,** der, * ........................ Hier gibt es nur Sonnenschein und keinen Regen.

**Leben,** das, - ........................ Ich war in meinem ganzen Leben noch nicht in Australien.

***entgegen*** ........................ Wir fahren der Sonne entgegen.

**erleben** ........................ Wir haben im Urlaub viel erlebt.

## 5 Urlaub mit dem Auto

***Autourlauber**, der, -* ........................

***Top Ten*** ........................

***Attraktion**, die, -en* ........................ Schloss Schwanstein ist eine Attraktion für Touristen.

**rund** (= ungefähr/fast) ........................ Das sind rund eine Million Autofahrer.

| | | |
|---|---|---|
| **Urlaubsreise,** die, -n | ........................ | Peter plant seine Urlaubsreise schon ein Jahr vorher. |
| **entscheiden (sich),** entschieden | ........................ | Wir entscheiden uns für das Sofa. Der Sessel ist zu klein. |

## Übungen

| | | | |
|---|---|---|---|
| Ü 2 | **nichts** | ........................ | + Was hast du am Wochenende gemacht? – Nichts. |
| Ü 8 | ***Segelkurs,*** *der, -e* | ........................ | Ich habe im Urlaub einen Segelkurs gemacht. |
| Ü 9 | **gemeinsam:** etw. gemeinsam haben | ........................ | Mein Kollege und ich haben viel gemeinsam. |
| | **weg** | ........................ | Wir fahren im Urlaub ganz weit weg. |
| | **exotisch** | ........................ | Ferien zu Hause sind nicht exotisch. |
| | **System,** das, -e | ........................ | |
| | ***letzte, letzte, letzte*** | ........................ | Letztes Jahr war ich in Spanien. Es war toll. |
| | **Zelt,** das, -e | ........................ | Wir haben im Zelt übernachtet. |
| Ü 11 | **ankommen,** angekommen | ........................ | Der Zug ist um zehn Uhr angekommen. |

| | | |
|---|---|---|
| **Rezept,** das, -e | ........................ | das Rezept verstehen und dann kochen |
| **welcher, welches, welche** | ........................ | Welchen Wochentag haben wir heute? |

## 1 Lebensmittel auf dem Markt und im Supermarkt

1 1

| | | |
|---|---|---|
| **Lebensmittel,** das, - | ........................ | Heute kaufen wir Lebensmittel auf dem Markt ein. |
| **Markt,** der, "-e | ........................ | Wir haben auf dem Markt eingekauft. |
| **Banane,** die, -n | ........................ | Sie isst jeden Tag eine Banane. |
| **Erdbeere,** die, -n | ........................ | Heute gibt es Erdbeeren. |
| **Sie wünschen, bitte?** | ........................ | + Sie wünschen, bitte? – Fünf Äpfel, bitte. |
| **wünschen** | ........................ | + Sie wünschen, bitte? |
| **Ich hätte gern ...** | ........................ | – Ich hätte gern Bananen. |
| *Bergkäse, der, -* | ........................ | |
| **Käse,** der, - | ........................ | Ich esse gern Weißbrot und Käse. |

| | | |
|---|---|---|
| **Kilo** (Kilogramm), das, -s | ........................ | Ich hätte gern ein Kilo Äpfel. |
| **Apfel,** der, "- | ........................ | Äpfel sind sehr gesund. |
| **Kirsche,** die, -n | ........................ | Kirschen essen wir gern. |
| **Tomate,** die, -n | ........................ | Die Tomaten sind gut. |
| **Paprika,** die/der, -s | ........................ | Ich habe zwei Paprika gekauft. |
| **Salat,** der, -e | ........................ | Ich nehme einen Salat. |
| **Orange,** die, -n | ........................ | Im Winter esse ich oft Orangen. |
| **Zwiebel,** die, -n | ........................ | Ich mag keine Zwiebeln. |
| **Kartoffel,** die, -n | ........................ | Es gibt Steak und Kartoffeln. |
| **frisch** | ........................ | Die Erdbeeren sind ganz frisch. |
| **Fisch,** der, -e | ........................ | Viele essen am Freitag Fisch. |
| **Ei,** das, -er | ........................ | Wir brauchen noch Eier. |
| 1 2 **Fleisch,** das, * | ........................ | Wir essen gern Fleisch. |
| **günstig** | ........................ | Die Kartoffeln sind heute günstig. |

| | | |
|---|---|---|
| **Hähnchen,** das, - | ........................ | Bitte bringen Sie noch zwei Hähnchen mit. |
| **Ketchup,** der, * | ........................ | Die Kinder essen Pommes mit Ketchup. |
| **Flasche,** die, -n | ........................ | Er hat zwölf Flaschen Orangensaft gekauft. |
| **Schokolade,** die, -n | ........................ | Ich möchte eine Tafel Schokolade. |
| **Tafel,** die, -n | ........................ | Ich möchte eine Tafel Schokolade. |
| **Weißbrot,** das, -e | ........................ | Die Franzosen essen viel Weißbrot. |
| **Brot,** das, -e | ........................ | Ich esse sehr viel Brot. |
| **Packung,** die, -en | ........................ | Ich hätte gern eine Packung Reis. |
| **Butter,** die, * | ........................ | Ein Brot mit Butter ist ein Butterbrot. |
| **Stück,** das, -e | ........................ | Kann ich bitte noch ein Stück Kuchen haben? |
| **Chips,** die, *Pl.* | ........................ | Hmm – und jetzt ein Beutel Chips? |
| **Beutel,** der, - | ........................ | Chips – 175-g-Beutel nur 1,79 Euro |
| **Reis,** der, * | ........................ | Heute gibt es Reis mit Hähnchen. |
| ***Leberwurst,*** *die, ¨-e* | ........................ | |

**Wurst,** die, ¨-e ............................ Deutsche essen gern Brot mit Wurst oder Käse.

**Ring,** der, -e ............................ Die Wurst im Ring nur 3,99 Euro.

**Spaghetti,** die, *Pl.* ............................ Ich nehme Spaghetti. Und du?

***Vollmilch,** die, ** ............................ Die Kinder trinken Vollmilch.

**Milch,** die, * ............................ Mögen Sie Kaffee mit Milch?

***Fett,** das, -e* ............................ Vollmilch hat 3,5 % Fett.

***Sauerkraut,** das, ** ............................ Was passt gut zu Sauerkraut?

**Dose,** die, -n ............................ Ich brauche noch eine Dose Sauerkraut.

**kaufen** ............................ Ich kaufe oft Fleisch. Die Kinder essen es gern.

## 2 Einkaufen

2 1 **Brötchen,** das, - ............................ Morgens esse ich Brötchen und trinke Kaffee.

2 2 ***Wochenendeinkauf,** der, ¨-e* ............................

***Einkauf,** der, ¨-e* ............................ Hast du den Einkauf schon erledigt?

***Einkaufszettel,** der, -* ............................ Schreiben Sie einen Einkaufszettel.

| | | | |
|---|---|---|---|
| | **Gramm,** das, * | ........ | 1000 g sind 1 kg. |
| | **Pfund,** das, * (= 500 g) | ........ | Ich möchte bitte ein Pfund Schweinefleisch. |
| | **Liter,** der, - | ........ | Wir brauchen noch einen Liter Milch. |
| | ***Einkaufswagen,*** *der, -* | ........ | Der Einkaufswagen ist voll. |
| | **Wagen,** der, - | ........ | |
| 2 3 | **Was darf es sein?** | ........ | + Was darf es sein? – 200 g Käse, bitte. |
| | **dürfen,** gedurft | ........ | + Was darf es sein? – 200 g Käse, bitte. |
| 2 4 | **schwach,** schwächer, am schwächsten | ........ | Kannst du die Einkäufe tragen? Ich bin zu schwach. |
| 2 6 a | **Obst,** das, * | ........ | Obst: Äpfel, Bananen, Kirschen ... |
| | ***Mengenangabe,*** *die, -n* | ........ | Wir vergleichen die Mengenangaben und die Preisangaben. |
| 2 6 b | **Gemüse,** das, - | ........ | Gemüse: Sauerkraut, Spinat, Paprika ... |
| 2 7 | **Was macht das?** | ........ | + Was macht das? – Das macht 11 Euro 50. |
| | **Danke, das ist alles.** | ........ | + Noch etwas? – Danke, das ist alles. |

## 3 *„Spinat? – Igitt!"* – über Essen sprechen

| | | | |
|---|---|---|---|
| | **Spinat,** der, * | ............ | Viele Jugendliche essen Spinat nicht gern. |
| | **Igitt!** | ............ | Spinat? Igitt! |
| 3 1 | **Jugendliche,** der/die, -n | ............ | Jugendliche in Ost und West gehen gern in die Disco. |
| | **Artikel** (Zeitungs-), der, - | ............ | Hast du den Artikel in der Baseler Zeitung gelesen? |
| | ***Schülerzeitung,*** *die, -en* | ............ | |
| | ***Lieblingsessen,*** *das, -* | ............ | Das Lieblingsessen von Franziska ist Steak. |
| 3 1 a | ***Currywurst,*** *die, "-e* | ............ | Jugendliche in Deutschland essen gern Currywurst. |
| | **in sein** | ............ | Es ist eben in. |
| | ***Pizza,*** *die, Pl.: Pizzen* | ............ | Ich esse abends gern Pizza vom Italiener. |
| | ***Döner*** *(Kebab), der, -* | ............ | Sie mag Döner lieber als Currywurst. |
| | ***Fastfood,*** *das, ** | ............ | |
| | **Grund,** der, "-e | ............ | + Warum? – Es gibt keinen speziellen Grund. |
| | **Alter,** das, - | ............ | Schüler im Alter von 13 bis 16 Jahren essen viel Fastfood. |

| | | | |
|---|---|---|---|
| | ***befragen*** | ........................................ | Wir haben Jugendliche befragt. |
| | **Ergebnis,** das, -se | ........................................ | Was kommt bei dieser Aufgabe als Ergebnis heraus? |
| | ***Hamburger,*** *der, -* | ........................................ | Ich esse gern Hamburger mit Pommes. |
| | ***Pommes (frites)**** | ........................................ | Ich hätte gern ein Rindersteak mit Pommes frites. |
| | **erklären** (etwas zu + *Dat.*) | ........................................ | Er erklärt Döner zu seinem Lieblingsessen. |
| | **landen** | ........................................ | Pizza landet auf Platz 1. |
| | **folgen** | ........................................ | Danach folgt der Döner. |
| | **gern,** lieber, am liebsten | ........................................ | Hanna isst gern Spaghetti. |
| | **sogar** | ........................................ | Sie mag sogar Spinat. |
| | **schmecken** | ........................................ | Fastfood schmeckt gut, oder? |
| 3 1 b | ***Hitliste,*** *die, -n* | ........................................ | |
| 3 2 | ***Zusammenfassung,*** *die, -en* | ........................................ | Das ist eine kurze und gute Zusammenfassung. |
| | **so ... wie** | ........................................ | Ich mag Pommes so gern wie Pizza. |
| 3 3 | **lieber als** | ........................................ | Hamburger esse ich lieber als Döner. |

| | | | |
|---|---|---|---|
| | *Tomatensoße, die, -n* | ........................ | Kinder essen gern Spaghetti mit Tomatensoße. |
| | **Soße,** die, -n | ........................ | Fleisch ohne Soße schmeckt nicht. |
| 3 4 | *Haushaltstipp, der, -s* | ........................ | |
| | **Luft,** die, - | ........................ | Im Ei ist Luft. |
| | **Glas,** das, "-er | ........................ | Ein Glas Bier, bitte. |
| 3 5 | **Bioei,** das, -er | ........................ | Wir kaufen nur Bioeier. |
| 3 6 b | **diskutieren** | ........................ | Wir diskutieren mit der Lehrerin über den Kurs. |
| | *Schokoladentorte, die, -n* | ........................ | |

## 4 Was ich gern mag

| | | | |
|---|---|---|---|
| 4 1 | *Menü, das, s* | ........................ | |
| | **Nudel,** die, -n | ........................ | Ich hätte gern zwei Packungen Nudeln. |
| | **Schinken,** der, - | ........................ | Herr Müller isst Eier mit Schinken. |
| | **Wein,** der, -e | ........................ | Trinkst du lieber Wein als Bier? |
| | **Bier,** das, -e | ........................ | Ich trinke gern mal ein Glas Bier. |

| | | | |
|---|---|---|---|
| 4 3 | ***Smalltalk**, der, -s* | ........................ | |
| | ***Bratwurst**, die, ¨-e* | ........................ | Bratwurst ist in Thüringen eine Spezialität. |
| | ***Tomatensaft**, der, ¨-e* | ........................ | Im Flugzeug trinken viele Tomatensaft. |
| | **Schweinefleisch,** das, * | ........................ | + Magst du Schweinefleisch?<br>– Nein, das esse ich nicht. |
| | **Ananas,** die, -se | ........................ | |
| | **Zucker,** der, * | ........................ | Bitte einen Kaffee mit Milch und Zucker. |
| | **drin** (sein) | ........................ | Der Kuchen ist gut. Sind da Rosinen drin? |
| | ***Apfelkuchen**, der, -* | ........................ | |
| | **Kuchen,** der, - | ........................ | Wir essen Kuchen und trinken Kaffee. |
| | **lecker** | ........................ | Die Linzer Torte war lecker. |
| | ***Rosine**, die, -n* | ........................ | Der Kuchen ist gut. Sind da Rosinen drin? |
| | ***vegetarisch*** | ........................ | + Mögen Sie Steak?<br>– Ich esse nur vegetarisch, kein Fleisch. |

## 5 Ein Rezept

| | | | |
|---|---|---|---|
| 5 1 | ***Nudelauflauf**, der, ¨-e* | ........................ | |

| | | |
|---|---|---|
| ***Zutat,** die, -en* | ........................................ | Hast du alle Zutaten für den Nudelauflauf? |
| **Becher,** der, - | ........................................ | Möchtest du einen Becher Kaffee? |
| **süß** | ........................................ | Der Kaffee ist zu süß. |
| **Sahne,** die, * | ........................................ | Ich möchte einen Apfelkuchen mit viel Sahne. |
| **Pfeffer,** der, * | ........................................ | Pommes mit Pfeffer und Salz. |
| **Salz,** das, * | ........................................ | Pommes mit Pfeffer und Salz. |
| ***Zubereitung,** die, * * | ........................................ | |
| **Streifen,** der, - | ........................................ | Schneiden Sie den Schinken in Streifen. |
| **Würfel,** der, - | ........................................ | Spielen Sie zu viert mit einem Würfel. |
| **Pfanne,** die, -n | ........................................ | Die Pfanne ist zu klein. |
| ***anbraten,** angebraten* | ........................................ | Das Fleisch kurz in der Pfanne anbraten. |
| ***Form,** die, -en (hier: Auflaufform)* | ........................................ | Geben Sie alles in die Form. |
| **dazu (geben)** | ........................................ | Geben Sie etwas Pfeffer dazu. |
| **bestreuen** (mit + *Dat.*) | ........................................ | Bestreuen Sie den Auflauf mit Käse. |

| | | |
|---|---|---|
| **Rest,** der, -e | ........................................ | Es ist noch ein Rest Auflauf da. |
| ***verrühren*** | ........................................ | Alles gut verrühren! |
| **Backofen,** der, "-en | ........................................ | Ich kann keinen Kuchen mitbringen. Ich habe keinen Backofen. |
| **Grad (Celsius),** der, e (aber: 30° C) | ........................................ | 30 Grad – das ist sehr heiß. |
| **backen,** gebacken | ........................................ | Am Sonntag habe ich einen Apfelkuchen gebacken. |
| **Guten Appetit!** | ........................................ | |
| ***Essenszeit,*** *die, -en* | ........................................ | |
| ***Hauptmahlzeit,*** *die, -en* | ........................................ | Das Mittagessen ist eine Hauptmahlzeit. |
| **Marmelade,** die, -n | ........................................ | Ich esse gern Brötchen mit Marmelade. |

## Übungen

| | | | |
|---|---|---|---|
| Ü1 | **Produkt,** das, -e | ........................................ | Sahne und Käse sind Milchprodukte. |
| Ü5 | **Dessert,** das, -s | ........................................ | Es gibt Apfelkuchen zum Dessert. |
| Ü7 | **Bestellung,** die, -en | ........................................ | Der Kellner nimmt die Bestellung auf. |

| | | | |
|---|---|---|---|
| | ***Vegetarier/in,*** *der/die, -/-nen* | ........................ | + Essen Sie Fleisch?<br>– Nein, ich bin Vegetarier. |

# 11 Kleidung und Wetter

| | | | |
|---|---|---|---|
| | **Kleidung,** die, -en | ........................ | über Kleidung sprechen |
| | **Größe,** die, -n | ........................ | Welche Größe haben Sie bei Hemden? |

## 1 Aus der Modezeitung

| | | | |
|---|---|---|---|
| 1 1 | **Mode,** die, -n | ........................ | In dem Geschäft gibt es Mode für Männer und Frauen. |
| 1 1 a | **aussehen,** ausgesehen | ........................ | Du siehst gut aus. Warst du im Urlaub? |
| | **stehen** (etw. jdm), gestanden | ........................ | Das Top steht dir prima. |
| | **freuen** (sich über etw.) | ........................ | Ich freue mich über Komplimente. |
| | ***Kompliment,*** *das, -e* | ........................ | Ich freue mich über Komplimente. |
| | **anziehen** (sich), angezogen | ........................ | Er ist immer sehr gut angezogen. |

| | | |
|---|---|---|
| **modisch** | .................... | Die Studenten sind modisch angezogen. |
| ***kombinierbar*** | .................... | Kleidung muss gut kombinierbar sein. |
| **preiswert** | .................... | preiswert = nicht teuer |
| **Hose,** die, -n | .................... | Beliebt sind Hosen bei Männern und Frauen. |
| **Jeans,** die, - | .................... | Jugendliche ziehen gern Jeans an. |
| **blau** | .................... | Jeans haben oft die Farbe Blau. |
| ***Rollkragenpullover,*** *der, -* | .................... | Im Winter zieht er gern Rollkragenpullover an. |
| **Pullover,** der, - | .................... | Dieser Pullover ist zu teuer für mich. |
| **braun** | .................... | Er trägt eine braune Jacke. |
| **Jacke,** die, -n | .................... | Er trägt eine braune Jacke. |
| **weiß** | .................... | Sie trägt ein weißes Top. |
| **T-Shirt,** das, -s | .................... | Im Sommer trägt sie T-Shirts und leichte Röcke. Ideale Sommerkleidung. |
| **leicht** (2) | .................... | Im Sommer trägt sie T-Shirts und leichte Röcke. Ideale Sommerkleidung. |
| **Rock,** der, "-e | .................... | Der Rock passt nicht zur Bluse. |

| | | | |
|---|---|---|---|
| | **Top,** das, -s | ........................................ | Das Top ist preiswert. |
| | **rot** | ........................................ | Er hat zwei rote Krawatten. |
| | ***ideal*** | ........................................ | Die Jacke ist ideal zum Wandern. |
| | **Stiefel,** der, - | ........................................ | Im Winter trägt er Stiefel. |
| | **Bluse,** die, -n | ........................................ | Welches Kleid passt zu dieser Bluse? |
| | ***elegant*** | ........................................ | Elegante Mode muss nicht teuer sein. |
| | **schwarz** | ........................................ | Er trägt oft schwarze Anzüge. |
| | **Anzug,** der, "-e | ........................................ | Er trägt oft schwarze Anzüge. |
| | **Hemd,** das, -en | ........................................ | Hugo hat 27 Hemden. |
| | **Krawatte,** die, -n | ........................................ | Bodo hat fünf blaue Krawatten. |
| | **Mantel,** der, " | ........................................ | Der Mantel ist sehr warm. |
| | **natürlich** | ........................................ | + Trägst du gern Jeans? – Natürlich! |
| 1 2 | **anhaben** | ........................................ | Du hast ein schönes Kleid an. |

## 2 Kleidung und Farben

| | | | |
|---|---|---|---|
| 2 1 | *Kleidungsstück, das, -e* | ........................ | Wie viele Kleidungsstücke hast du? |
| | **gelb** | ........................ | Farben: gelb, grün, orange, türkis, violett, grau, rosa, ... |
| | **grün** | ........................ | |
| | **orange** | ........................ | |
| | ***türkis*** | ........................ | |
| | ***violett*** | ........................ | |
| | **grau** | ........................ | |
| | **rosa** | ........................ | Farben: gelb, grün, orange, türkis, violett, grau, rosa, ... |
| | **bunt** | ........................ | Sie trägt gern bunte Röcke. |
| | **hellgrün** | ........................ | |
| | **dunkelblau** | ........................ | |
| 2 3 | **Kleid,** das, -er | ........................ | Pia hat 99 Euro für das Kleid ausgegeben. |

| | | | |
|---|---|---|---|
| 2 5 | **gar nicht** | ............................ | + Wie gefällt Ihnen der Anzug?<br>– Gar nicht. |
| | *überhaupt nicht* | ............................ | Das Hemd ist überhaupt nicht schön. |
| | **schick** | ............................ | + Wie finden Sie den Mantel?<br>– Den finde ich schick. |
| | **altmodisch** | ............................ | altmodisch = nicht modern |

## 3 Adjektive vor Nomen: Akkusativ

| | | | |
|---|---|---|---|
| 3 1 | *kombinieren* | ............................ | Kann man den blauen Rock mit der Bluse kombinieren? |
| 3 2 | ***Weltmeister,*** *der, -* | ............................ | Deutschland war 1954, 1974 und 1992 Fußball-Weltmeister. |
| | ***Trainingsanzug,*** *der, ¨-e* | ............................ | |
| | ***Nationalmannschaft,*** *die, -en* | ............................ | Die Nationalmannschaft hat das Spiel verloren. |
| | **Mannschaft,** die, -en | ............................ | Manchester United ist eine tolle Mannschaft! |
| 3 3 | **Spieler,** der, - | ............................ | Die Spieler tragen weiße T-Shirts und schwarze Hosen. |

## 4 Einkaufsbummel

| | | | |
|---|---|---|---|
| | ***Einkaufsbummel,*** *der, -* | ............................ | Ich habe Geld bekommen. Ich mache jetzt einen Einkaufsbummel. |

| | | |
|---|---|---|
| 4 1 b **verteilen** | ............ | Der Lehrer verteilt die Blätter mit den Aufgaben. |
| **Rolle,** die, -n | ............ | Lesen Sie die Dialoge mit verteilten Rollen. |
| **anprobieren** | ............ | Möchten Sie die Hose anprobieren? |
| ***Herrenabteilung,*** *die, -en* | ............ | + Wo ist hier die Herrenabteilung?<br>– In der 2. Etage. |
| ***Ärmel,*** *der, -* | ............ | + Wie sind die Ärmel? – Sie sind zu lang. |
| **Marke,** die, -n | ............ | Anzüge? Suchen Sie eine bestimmte Marke? |
| **egal** (sein) | ............ | + Anzüge? Suchen Sie eine bestimmte Marke? – Nein, das ist egal. |
| ***reduzieren*** | ............ | Der Anzug hier ist reduziert. Er kostet nur noch 110 Euro. |
| **eigentlich** | ............ | + Möchten Sie die Hose in Schwarz?<br>– Nein, eigentlich in Grau. |
| **sicher** | ............ | + Die Stiefel hier sind sicher sehr teuer.<br>– Nein, überhaupt nicht. |
| 4 3 **bequem** | ............ | + Wie finden Sie die Schuhe?<br>– Sie sind sehr bequem. |
| **leider** | ............ | + Haben Sie das in Größe 38?<br>– Nein, leider nicht. |
| 4 6 ***Onlinekatalog,*** *der, -e* | ............ | |
| **Katalog,** der, -e | ............ | In dem Katalog gibt es schöne Kleider. |

| | | |
|---|---|---|
| 5 1 **darum** | ........................ | Das Wetter ist nicht immer gleich. Darum ist es ein beliebtes Gesprächsthema. |
| ***Gesprächsthema,*** *das, Pl.: Gesprächsthemen* | ........................ | Das Wetter ist ein beliebtes Gesprächsthema. |
| **Aktivität,** die, -en | ........................ | Viele Freizeitaktivitäten hängen vom Wetter ab. |
| **abhängen von** *(+ Dat.),* abgehangen | ........................ | Viele Freizeitaktivitäten hängen vom Wetter ab. |
| **schneien** | ........................ | Im Winter schneit es oft nicht nur in den Bergen. |
| **Schnee,** der, * | ........................ | Kinder lieben Schnee. |
| ***Wintersportler,*** *der, -* | ........................ | Im Allgäu gibt es im Winter viele Wintersportler. |
| **Sportler,** der, - | ........................ | |
| ***Grillparty,*** *die, -s* | ........................ | Im Sommer machen wir eine Grillparty im Garten. |
| **sonnig** | ........................ | + Ist es sonnig oder bewölkt? – Bewölkt. |
| **bewölkt** | ........................ | + Ist es sonnig oder bewölkt? – Bewölkt. |
| **hoffentlich** | ........................ | Hoffentlich regnet es heute nicht. |

| | | | |
|---|---|---|---|
| | ***Straßencafé**, das, -s* | ........................ | Wir haben in einem Straßencafé gesessen und Kaffee getrunken. |
| | **windig** | ........................ | An der Nordsee ist es oft sehr windig. |
| 5 2 | **Wolke,** die, -n | ........................ | Heute gibt es viele Wolken und wenig Sonne. |
| | **Wind,** der, * | ........................ | Der Wind ist heute sehr kalt. |
| | **Hitze,** die, * | ........................ | Hitze ≠ Kälte |
| | **Kälte,** die, * | ........................ | Hitze ≠ Kälte |
| 5 3 | **heiter** | ........................ | heiter ≠ bewölkt |
| 5 4 | **deutlich** | ........................ | Sprechen Sie deutlich! |
| 5 5 | **Vater,** der, "- | ........................ | Mein Vater kommt aus Berlin. |
| | ***Malbuch**, das, "-er* | ........................ | |
| | ***Rose**, die, -n* | ........................ | Sie hat 20 rote Rosen zum Geburtstag bekommen. |
| | ***Pferd**, das, -e* | ........................ | Er arbeitet wie ein Pferd. |
| | ***Schäfer**, der, -* | ........................ | |
| | ***Herde**, die, -n* | ........................ | |

| | | |
|---|---|---|
| ***Laub,** das, ** | ............................ | Es ist Herbst. Laub liegt auf der Straße. |
| **Staub,** der, * | ............................ | Auf den Möbeln liegt Staub. |
| **Frucht,** die, "-e | ............................ | Hanna isst gern Joghurt mit Früchten. |
| ***vertilgen*** | ............................ | |
| **küssen** | ............................ | Romeo hat Julia geküsst. |
| **Himmel,** der, * | ............................ | Der Himmel ist heute blau. |
| **Liebe,** die, -n | ............................ | Rot, das ist die Liebe. |
| **niemals** | ............................ | Sag niemals nie. |
| ***vergehen,*** *vergangen* | ............................ | Unsere Liebe ist leider vergangen. |
| ***zurückdenken an*** *(+ Akk.), zurückgedacht* | ............................ | Ich denke oft an uns zurück. |
| 5 6 **Bedeutung,** die, -en | ............................ | Hat das Wort noch eine andere Bedeutung? |
| ***Assoziation,*** *die, -en* | ............................ | Farben und Bedeutung: Welche Assoziationen haben Sie? |

## Übungen

| | | | |
|---|---|---|---|
| Ü1 | **Jackett,** das, -s | ........................ | Passt dieses blaue Jackett zu der grauen Hose? |
| Ü3 | ***mischen*** | ........................ | Mischen Sie die Farben gelb und blau. |
| Ü6 | ***Model,*** *das, -s* | ........................ | Heidi Klum ist ein Model. |
| | ***Cashmere,*** *der,* * | ........................ | Cashmere-Pullover sind sehr teuer. |
| Ü7 | **vielleicht** | ........................ | Vielleicht fahre ich nächstes Wochenende nach Köln. |
| | **Umkleidekabine,** die, -n | ........................ | Die Umkleidekabine ist hier rechts. |
| Ü9 | **Kaufhaus,** das, "-er | ........................ | Das Kaufhaus hat die Preise reduziert. |
| Ü10 | **Mütze,** die, -n | ........................ | Er trägt im Winter eine blaue Mütze und einen roten Schal. |
| | **Schal,** der, -s | ........................ | Er trägt im Winter eine blaue Mütze und einen roten Schal. |
| | **Handschuh,** der, -e | ........................ | Im Winter braucht man Handschuhe. |
| Ü12 | ***Gras,*** *das, "-er* | ........................ | Alfred liegt im Gras und liest ein Buch. |
| | **ausfallen,** ausgefallen | ........................ | Der Kurs fällt morgen aus. |
| | ***Meter,*** *der, -* | ........................ | Ich bin 1 Meter und 87 Zentimeter groß. |

| | | |
|---|---|---|
| **traurig** | ........................ | Der Urlaub ist vorbei und Uli ist ganz traurig. |

# 12 Körper und Gesundheit

| | | |
|---|---|---|
| **Körper,** der, - | ........................ | Ich muss meinen Körper mehr trainieren. |
| **Gesundheit,** die, * | ........................ | Seine Gesundheit ist nicht gut. |
| **Körperteil,** der, -e | ........................ | Körperteile: Arme, Beine, Bauch, ... |
| **wehtun,** wehgetan | ........................ | Mein Körper tut weh. |
| ***Empfehlung,*** *die, -en* | ........................ | eine Empfehlung geben |
| ***Anweisung,*** *die, -en* | ........................ | Anweisung: Sie müssen den Test machen. |

## 1 Der Körper

| | | |
|---|---|---|
| 1 1 a ***Skifahren,*** *das, * * | ........................ | Skifahren ist in den Alpen sehr beliebt. |
| **gesund,** gesünder, am gesündesten | ........................ | Ich bin gesund. Ich muss nicht zum Arzt gehen. |

| | | |
|---|---|---|
| **nach Hause** | ........................................ | Nach dem Kurs muss ich nach Hause fahren. |
| ***Skifahrer/in,*** *der/die, -/-nen* | ........................................ | Skifahrer haben oft einen Unfall. |
| ***Gipsbein,*** *das, -e* | ........................................ | Monika hatte einen Unfall, jetzt hat sie für drei Monate ein Gipsbein. |
| ***Bodybuilding,*** *das, ** | ........................................ | Beim Bodybuilding trainiert man die Muskeln. |
| **Muskel,** der, -n | ........................................ | Beim Bodybuilding trainiert man die Muskeln. |
| **Arm,** der, -e | ........................................ | Mein Arm ist gebrochen. |
| **Bein,** das, -e | ........................................ | Mein Bein ist gebrochen, mein Arm nicht. |
| **Bauch,** der, "-e | ........................................ | Du hast einen Bauch. Du musst weniger Bier trinken. |
| ***Bodybuilder/in,*** *der/die, -/-nen* | ........................................ | Bodybuilder müssen sehr viel trainieren. |
| **täglich** | ........................................ | täglich – jeden Tag |
| ***Kilokalorie,*** *die, -n* | ........................................ | Eine Tafel Schokolade hat 500 bis 600 Kilokalorien. |
| ***Felsen,*** *der, -* | ........................................ | Er fährt oft in die Berge und klettert Felsen hoch. |
| ***Steilwandkletterer,*** *der, -* | ........................................ | Er ist Steilwandkletterer. Er fährt oft in die Berge und klettert Felsen hoch. |
| **stark,** stärker, am stärksten | ........................................ | stark ≠ schwach; Steilwandkletterer brauchen starke Finger und Arme. |

| | | |
|---|---|---|
| **Finger,** der, - | ........................ | Steilwandkletterer brauchen starke Finger und Arme. |
| **klettern** | ........................ | + Was habt ihr im Urlaub gemacht?<br>– Wir waren in den Bergen klettern. |
| **hoch,** höher, am höchsten | ........................ | Sie ist den Felsen hoch geklettert. |
| ***Tai Chi,*** *das, ** | ........................ | Der Sport Tai Chi kommt aus China. |
| ***Entspannung,*** *die, ** | ........................ | Tai Chi ist für viele Menschen Entspannung. |
| **Kopf,** der, "-e | ........................ | Ich habe heute viele Vokabeln gelernt. Jetzt tut mein Kopf weh. |
| ***Konzentration,*** *die, ** | ........................ | Konzentration ist wichtig beim Lernen. |
| ***Senior/Seniorin,*** *der/die, Senioren/-nen* | ........................ | Senioren = ältere Menschen |
| 1 2 **Knie,** das, - | ........................ | Heute kann ich nicht joggen. Meine Knie tun weh. |
| 1 3 **Auge,** das, -n | ........................ | Schließen Sie die Augen. |
| 1 4 **Nase,** die, -n | ........................ | Körperteile: Nase, Mund, Beine, Arme, ... |
| **Mund,** der, "-er | ........................ | Körperteile: Nase, Mund, Beine, Arme, ... |
| **Hals,** der, "-e | ........................ | Körperteile: Hals, Mund, Beine, Arme, ... |

**Ohr,** das, -en ........ Macht die Ohren auf und hört zu.

## 2 Bei der Hausärztin

***Hausarzt/-ärztin,*** *der/die, -e/-nen* ........ Frau Noth hat Fieber. Sie hat einen Termin bei ihrer Hausärztin.

2 1 **Fieber,** das, * ........ Frau Noth hat 38 Grad Fieber.

**Halsschmerzen,** *Pl.* ........ Sie ist krank. Sie hat Fieber und Halsschmerzen.

**Schmerz,** der, -en ........ Ich bin vom Fahrrad gefallen. Die Schmerzen sind sehr groß.

**Anmeldung,** die, -en ........ Die Anmeldung ist im Sekretariat.

2 2 a **Quartal,** das, e ........ Das Jahr hat vier Quartale. Jedes Quartal hat drei Monate.

***Krankenversicherungskarte,*** *die, -n* ........ Beim Arzt muss man seine Krankenversicherungskarte zeigen.

**Wartezimmer,** das, - ........ Herr Aigner ist beim Arzt und wartet im Wartezimmer.

***Platz nehmen,*** *Platz genommen* ........ Er hat im Wartezimmer Platz genommen.

2 2 b **Krankenversicherung,** die, -en ........ Seit über 100 Jahren gibt es die Krankenversicherung.

**Ạrbeitnehmer/in,** der/die, -/-nen ........................ Arbeitnehmer müssen sich gegen Krankheit versichern.

**Krạnkheit,** die, -en ........................ Arbeitnehmer müssen sich gegen Krankheit versichern.

**versịchern** ........................ Arbeitnehmer müssen sich gegen Krankheit versichern.

***Versịcherte,*** *der, -n* ........................ Alle Versicherten bekommen eine Versicherungskarte.

**speichern** ........................ Die Informationen sind gespeichert.

***Arztkosten,*** *Pl.* ........................ Die Arztkosten sind hoch.

**Kọsten,** *Pl.* ........................ Die Kosten für Medikamente sind hoch.

**Medikamẹnt,** das, -e ........................ Die Kosten für Medikamente sind hoch.

**Apotheke,** die, -n ........................ Entschuldigung, wo ist hier eine Apotheke?

**Tablẹtte,** die, -n ........................ Tabletten kann man in einer Apotheke kaufen.

**Kọpfschmerzen,** *Pl.* ........................ + Ich habe Kopfschmerzen.
− Nimm doch eine Tablette.

***Hustensaft,*** *der, ¨-e* ........................ + Ich habe Husten. − Nimm Hustensaft.

2 3 **rauchen** ........................ Ich rauche täglich zwölf Zigaretten.

| | | |
|---|---|---|
| ***Doktor/Doktorin,*** *der/die, Doktoren/-nen* | ........................ | Guten Tag, Frau Dr. (= Doktor) Hahn. |
| **schlimm** | ........................ | Sie sind krank, aber es ist nicht so schlimm. |
| **Was fehlt Ihnen?** | ........................ | + Was fehlt Ihnen?<br>– Ich habe Fieber und Kopfschmerzen. |
| **husten** | ........................ | + Was fehlt Ihnen?<br>– Ich habe Fieber und ich muss viel husten. |
| **Erkältung,** die, -en | ........................ | + Bist du krank?<br>– Ja, ich habe eine Erkältung. |
| **Alkohol,** der, -e | ........................ | Sie haben eine Erkältung. Sie dürfen keinen Alkohol trinken und nicht rauchen. |
| **krankschreiben** (jdn), krankgeschrieben | ........................ | Sie haben eine Erkältung. Ich schreibe Sie für eine Woche krank. |
| **Gute Besserung!** | ........................ | + Auf Wiedersehen, Frau Doktor.<br>– Auf Wiedersehen und gute Besserung. |
| 2 4 ***Rollenkarte,*** *die, -n* | ........................ | Wählen Sie eine Rollenkarte aus. |
| **fühlen** (sich) | ........................ | Frau Meister fühlt sich nicht gut. |
| **ausruhen** (sich) | ........................ | Sie sind krank. Sie müssen sich ausruhen. |
| **Schnupfen,** der, * | ........................ | + Sind Sie krank?<br>– Nein, ich habe nur einen Schnupfen. |
| **Husten,** der, * | ........................ | Ihr Husten ist ja schlimm. Nehmen Sie Hustensaft. |

| | | |
|---|---|---|
| ***verschreiben,*** *verschrieben* | ..................... | Die Ärztin verschreibt eine Salbe. |
| **Salbe,** die, -n | ..................... | Die Ärztin verschreibt eine Salbe. |
| **dreimal** | ..................... | Nehmen Sie die Tabletten dreimal täglich vor dem Essen. |
| ***einreiben,*** *eingerieben* | ..................... | Reiben Sie die Salbe gut ein. |
| **Magen,** der, "- | ..................... | Ich fühle mich nicht gut. Ich habe Magenschmerzen. |
| ***Krankschreibung,*** *die, -en* | ..................... | Ich habe eine Erkältung, Frau Doktor. Ich brauche eine Krankschreibung für meinen Arbeitgeber. |
| **Arbeitgeber,** der, - | ..................... | Ich brauche eine Krankschreibung für meinen Arbeitgeber. |

## 3 Empfehlungen und Anweisungen

| | | | |
|---|---|---|---|
| 3 1 a | ***Ernährung,*** *die, ** | ..................... | Gesunde Ernährung ist wichtig. Essen Sie viel Obst. |
| | **übersetzen** | ..................... | Gedichte kann man schwer übersetzen. |
| | ***Immunsystem,*** *das, -e* | ..................... | Wichtig: Im Herbst das Immunsystem stärken! |
| | **stärken** | ..................... | Wichtig: Im Herbst das Immunsystem stärken! |
| | **zunehmen,** zugenommen | ..................... | Im Herbst nehmen Erkältungen zu. |

| | | |
|---|---|---|
| **dagegen** | ........................ | + Was kann man dagegen tun?<br>– Sport und Bewegung sind gut. |
| ***Bewegung,*** *die, -en* | ........................ | + Was kann man dagegen tun?<br>– Sport und Bewegung sind gut. |
| **spazieren gehen,** gegangen | ........................ | Gehen wir am Strand spazieren? |
| **joggen** | ........................ | Ich jogge jeden Morgen fünf Kilometer. |
| **duschen** | ........................ | Nach dem Joggen dusche ich immer kalt. |
| **ạbwechselnd** | ........................ | Nach dem Joggen dusche ich immer abwechselnd heiß und kalt. |
| ***Sauna,*** *die, Pl.: Saunen* | ........................ | In der Sauna ist es 70–100 °C heiß. |
| **Strẹss,** der, * | ........................ | Wir haben viel Arbeit und viel Stress. |
| ***Autogene Training,*** *das,* * | ........................ | Machen Sie Autogenes Training oder Yoga. |
| ***Yoga,*** *das,* * | ........................ | Machen Sie Autogenes Training oder Yoga. |
| ***Gymnạstik,*** *die,* * | ........................ | Gymnastik dreimal in der Woche ist gut für den Körper. |
| **daran dẹnken,** gedạcht | ........................ | Denken Sie daran: Viel Obst und Gemüse essen! |
| **Energie,** die, -ien | ........................ | Tanken Sie Energie. |
| ***tạnken,*** *getạnkt* | ........................ | Tanken Sie Energie. |

| | | | |
|---|---|---|---|
| | ***Vitamin,*** *das, -e* | ........................ | Orangensaft hat viel Vitamin C. |
| | **fröhlich** | ........................ | Bananen machen Sie fröhlich. |
| 3 5 | ***Rauchstopp,*** *der, -s* | ........................ | Es ist Zeit für einen Rauchstopp. |
| | **Kneipe,** die, -n | ........................ | Gehen wir in die Kneipe und trinken ein Bier? |
| | **Nichtraucher/in,** der/die, -/-nen | ........................ | Ich rauche nicht mehr. Ich bin jetzt Nichtraucher. |
| | **verändern** | ........................ | Sie hat ihr Leben verändert. |
| | **typisch** | ........................ | Das ist eine typische Situation. |
| | **Situation,** die, -en | ........................ | Das ist ja eine unschöne Situation! |
| | **Zigarette,** die, -n | ........................ | Sie trinkt Kaffee und raucht Zigaretten. |

## 4 Personalpronomen im Akkusativ

| | | | |
|---|---|---|---|
| | **aus** (sein) | ........................ | Es ist aus. Du musst gehen. |
| 4 2 | ***dichten*** | ........................ | Hat Goethe den ganzen Tag gedichtet? |
| | **Gedicht,** das, -e | ........................ | Die Gedichte von Goethe lese ich gern. |
| 4 3 | ***Liebesbrief,*** *der, -e* | ........................ | Er schreibt einen Liebesbrief. |

| |  | |  |
|---|---|---|---|
| | **Brief,** der, -e | ................ | Ich schreibe einen Brief an Julia. |
| | **glücklich** | ................ | Pia liebt Ulf wieder, jetzt ist er glücklich. |
| | **Herz,** das, -en | ................ | Mein Herz klopft. |
| | **klopfen** | ................ | Mein Herz klopft ganz laut. |
| | ***Traummann/Traumfrau,*** *der/die, "-er/ -en* | ................ | Nathalie ist meine Traumfrau. |
| 4 4 | ***Baukasten,*** *der, "-en* | ................ | Die Baukästen helfen. |
| | ***wunderschön*** | ................ | Der Urlaub war wunderschön. |
| | ***Luft sein*** *(für jmd.)* | ................ | Für mich bist du Luft. |
| | **in Ruhe lassen** (jdn) | ................ | Lass mich in Ruhe! |
| | **lachen** | ................ | Sie lachen oft und gern. |
| 4 5 | ***Emotion,*** *die, -en* | ................ | Liebe ist eine Emotion. |
| | ***Thermometer,*** *das, -* | ................ | Das Thermometer zeigt 14 Grad im Schatten. |
| 4 5 a | **lieb haben** (jdn) | ................ | Sie hat ihn lieb. |
| | **langweilen** | ................ | Er langweilt sie. |

| | | | |
|---|---|---|---|
| Ü 3 b | **lange** | ............ | + Muss ich lange warten? – Leider ja, wir haben heute viele Patienten. |
| Ü 5 a | **parken** | ............ | Hier ist parken verboten. |
| | **springen,** gesprungen | ............ | Hier darf man ins Wasser springen. |
| Ü 6 | **krank** | ............ | krank ≠ gesund |
| Ü 7 | **vorlesen,** vorgelesen | ............ | Sie liest eine Geschichte vor. |
| Ü 8 | ***Typ,*** *der, -en* | ............ | Lothar? Das ist ein toller Typ. |
| | ***da drüben*** | ............ | + Kennst du den Typ da drüben? – Den Blonden? |
| | ***blond*** | ............ | Sie hat blonde Haare. |

## 1 Berufsbilder

| | | |
|---|---|---|
| ***Reisebüro,*** *das, -s* | ................................ | + Wo warst du? – Im Reisebüro. Wir haben unseren Urlaub geplant. |
| ***Spezialist/in,*** *der/die, -en/-nen* | ................................ | Sie ist Spezialistin für Qualitätskontrolle. |
| ***Qualitätskontrolle,*** *die, -n* | ................................ | Sie ist Spezialistin für Qualitätskontrolle. |
| ***Qualität,*** *die, -en* | ................................ | Sie ist Spezialistin für Qualitätskontrolle. |
| ***Kontrolle,*** *die, -n* | ................................ | Sie ist Spezialistin für Qualitätskontrolle. |
| ***Trekking-Tour,*** *die, -en* | ................................ | |
| 1 3 ***pflegen*** | ................................ | Die Krankenschwester pflegt die Patienten. |
| ***beobachten*** | ................................ | Wir haben die Spieler beobachtet. Sie spielen gut. |
| ***waschen,*** *gewaschen* | ................................ | Er wäscht sein Auto. |
| ***Untersuchung,*** *die, -en* | ................................ | Vor der Operation gibt es eine Untersuchung. |
| ***Operation,*** *die, -en* | ................................ | Vor der Operation gibt es eine Untersuchung. |

| | | |
|---|---|---|
| ***medizinisch*** | ........................................ | Der medizinische Apparat ist kaputt. |
| ***Apparat,*** *der, -e* | ........................................ | Der medizinische Apparat ist kaputt. |
| ***Instrument,*** *das, -e* | ........................................ | Er hat die Instrumente gewaschen. |
| ***ambulant*** | ........................................ | Wir behandeln viele Patienten ambulant. |
| ***Ausbildung,*** *die, -en* | ........................................ | Sie hat eine sehr gute Ausbildung. |
| ***Schichtbetrieb,*** *der, -e* | ........................................ | Arno arbeitet bei Bosch im Schichtbetrieb. |
| ***Schicht,*** *die, -en* | ........................................ | + Wann beginnt deine Schicht?<br>– Um sechs Uhr. |
| ***Betrieb,*** *der, -e* | ........................................ | Der Betrieb arbeitet im Schichtbetrieb. |
| 1 4 ***messen,*** *gemessen* | ........................................ | Der Arzt misst das Fieber. |
| ***Flug,*** *der, "-e* | ........................................ | Der Flug von München nach Moskau war billig. |
| ***inklusive*** | ........................................ | Das Ticket hat inklusive Steuern nur 71 Euro gekostet. |
| ***Steuer,*** *die, -n* | ........................................ | Das Ticket hat inklusive Steuern nur 71 Euro gekostet. |

## 2 Themen und Texte

| | | |
|---|---|---|
| 2 1 a ***Alltag,*** *der, ** | ........................................ | Der Alltag ist oft grau. |

| | | |
|---|---|---|
| 2 1 b ***Überschrift**, die, -en* | ........................ | Lesen Sie die Überschrift. |
| ***Labor**, das, -e* | ........................ | Er arbeitet in einem Labor in einem Krankenhaus. |
| ***Creme**, die, -s* | ........................ | Die Cremes von Nivea sind weltbekannt. |
| ***Öl**, das, -e* | ........................ | Autos brauchen Öl. |
| ***Schrift**, die, -en* | ........................ | Er ist Arzt. Seine Schrift kann ich nicht lesen. |
| ***Apotheker/in**, der/die, -/-nen* | ........................ | Sie ist Apothekerin in einer Apotheke in Tübingen. |
| ***entwickeln*** | ........................ | Sie haben eine neue Creme für die Haut entwickelt. |
| ***stabil*** | ........................ | Das Wetter in Bayern bleibt stabil. |
| ***Haut**, die, ** | ........................ | Ich brauche eine Creme für meine Haut. |
| ***erfinden**, erfunden* | ........................ | Wann haben sie diese Maschine erfunden? |
| ***lateinisch*** | ........................ | Viele Krankheiten haben lateinische Namen. |
| ***symbolisieren*** | ........................ | + Was symbolisiert die Farbe rot?<br>– Die Liebe? |
| ***Frische**, die, ** | ........................ | Sauberkeit und Frische |
| ***Sauberkeit**, die, ** | ........................ | Sauberkeit und Frische |

| | | | |
|---|---|---|---|
| | ***Body Lotion**, die, -s* | ........................................ | Body Lotion ist gut für die Haut. |
| | ***Kosmetik**, die, -a* | ........................................ | Nicht nur Frauen kaufen viele Kosmetika. |
| 2 2 | ***Idee**, die, -n* | ........................................ | Das ist eine gute Idee. |

## 3 Grammatik und Phonetik intensiv

| | | | |
|---|---|---|---|
| 3 4 | ***lösen*** | ........................................ | Wir haben das Problem gelöst. |
| | ***Vogel**, der, "-* | ........................................ | Vögel können fliegen. |
| | ***drücken*** | ........................................ | + Die Tür geht nicht auf.<br>– Du musst drücken. |
| | ***drucken*** | ........................................ | Der Drucker druckt sehr langsam. |
| 3 5 | ***nebeneinander*** | ........................................ | Ute und Ilka sitzen nebeneinander im Kurs. |
| | ***kühl*** | ........................................ | Im Herbst ist es abends oft schon sehr kühl. |
| | ***cool*** | ........................................ | Das Hemd sieht cool aus. |
| 3 7 | ***Reflexion**, die, -en* | ........................................ | |

## 4 Videostation 3

| | | | |
|---|---|---|---|
| 4 1 | ***herzlich*** | ................................ | Ich grüße dich herzlich. |
| 4 2 | ***Gurke,*** *die, -n* | ................................ | Salat mit Tomaten und Gurken esse ich gern. |
| 4 3 a | ***Gewicht,*** *das, -e* | ................................ | Mein Gewicht? 60 Kilo. |
| 4 4 | ***Besucherkarte,*** *die, -n* | ................................ | Besucher brauchen in der Firma eine Besucherkarte. |
| 4 5 | ***Ruhe,*** *die, ** | ................................ | Er liebt die Ruhe in der Natur. |
| | ***Natur,*** *die, ** | ................................ | Er liebt die Ruhe in der Natur. |
| | ***Abenteuer,*** *das, -* | ................................ | Er ist Bergführer in den Alpen und hat viele Abenteuer erlebt. |
| | ***Bergführer,*** *der, -* | ................................ | Er ist Bergführer in den Alpen und hat viele Abenteuer erlebt. |
| 4 6 | ***Brotzeit,*** *die, -en, (Mahlzeit)* | ................................ | Um 14 Uhr ist Brotzeit. |
| 4 7 | ***Referat,*** *das, -e* | ................................ | Der Student hält ein Referat über Tai Chi. |
| | ***halten*** *(ein Referat), gehalten* | ................................ | Der Student hält ein Referat über Tai Chi. |
| | ***Hauptsache,*** *die, ** | ................................ | Hauptsache gesund! |

## 5 Endspurt: eine Rallye durch *studio d*

| | | |
|---|---|---|
| ***Endspurt,*** *der, -s* | ........................................ | Der Kurs ist fast vorbei: Endspurt. |
| ***führen*** *(durch + Akk.)* | ........................................ | Das Spiel führt Sie durch den ersten Band. |
| ***Band,*** *der, ¨-e* | ........................................ | Das war der erste Band von *studio d*. |
| ***Kästchen,*** *das, -* | ........................................ | |
| ***Joker,*** *der, -* | ........................................ | |
| ***Sekunde,*** *die, -n* | ........................................ | 60 Sekunden = eine Minute |
| ***Toilettenpapier,*** *das, ** | ........................................ | Wir brauchen Toilettenpapier. |
| ***Saft,*** *der, ¨-e* | ........................................ | Wir trinken gern Saft. |

**studio d A1**
Deutsch als Fremdsprache
Vokabeltaschenbuch

Umschlaggestaltung: Klein & Halm, Berlin
Layout und technische Umsetzung: Satzinform, Berlin

**www.cornelsen.de**

1. Auflage, 2. Druck 2009



Druck: CS-Druck CornelsenStürtz, Berlin

ISBN 978-3-464-20713-0

Inhalt gedruckt auf säurefreiem Papier aus nachhaltiger Forstwirtschaft.